Ⓢ新潮新書

佐藤 優
SATO Masaru

国難のインテリジェンス

社

はじめに

年一度、全世界から政治エリート、経済エリートが集まる世界経済フォーラム年次総会（ダボス会議）で、２０１８年と20年に基調講演をつとめたのがイスラエルの歴史学者で未来学者のユヴァル・ノア・ハラリ氏（１９７６年生まれ）だった。ハラリ氏は、人類は飢餓と疫病と戦争をほぼ克服することに成功したと宣言した。そして近未来に生命科学とＡＩ（人工知能）を運用した神のような人間「ホモ・デウス」が出現すると予測した。

しかし、ハラリ氏の前提は、過去3年でことごとく覆された。２０１９年12月に中国の武漢で患者が発生し、20年春からパンデミックとなった新型コロナウイルス感染症（ＣＯＶＩＤ—19）で人類が感染症をほぼ克服したという前提が崩れた。22年２月24日にロシアがウクライナに侵攻した。当初、ウクライナ東部におけるロシア系住民の処遇を巡るロシアとウクライナの地域紛争が瞬く間に性格を変えた。ウクライナ戦争は事実上、ロシアVS.（ウクライナを支援する）西側連合（その中には日本も含まれる）の本格的な戦争になった。今後この戦争が第三次世界大戦に発展する可能性も完全には排除されない。人類は大規模な戦争をほぼ克服したというハラリ氏の前提は完全に崩れてしまった。ハラリ氏に代わって「第三次世界大戦はすでに始まっている」と主張するフランスの人口学者で歴史学者のエマニュエル・トッド氏（1951年生まれ）の方が説得力があると現在では受け止められている。パンデミックとウクライナ戦争で地球規模での物流に支障が生じている。そのため中東やアフリカでは飢餓が深刻さを増している。人類は飢餓をほとんど克服したというハラリ氏の前提も成り立たなくなった。

世界は再び激動の時代に入った。その状況で日本国家も私たち日本人も、日本に住む日本人以外の人々も生き残っていかなくてはならない。かつて右翼の理論家・大川周明氏（1886～1957年）は、世直しは自国の善によって自国の悪を克服する形でしかできないと説いた。私もこの考えに賛成する。外国の理論や技術も日本に土着化させなければ（キリスト教神学の言葉を用いるならば受肉させなければ）、効果を発揮しないのである。

本書で私との対談に応じてくださった有識者の皆さんは、高度な学知や芸術的才能を現実に生かす類い稀な才能を持った人々だ。具体的に記す。新井紀子氏（数学・人工知能）、藤井聡氏（土木工学・社会工学・思想）、三浦展氏（マーケティング）、中谷巌氏（経済学）、河合雅司氏（人口学）、柳沢幸雄氏（教育学）、岩村充氏（経済学）、菊澤研宗氏（経営学）、君塚直隆氏（皇室論）、八田進二氏（会計学）、戸松義晴氏（仏教学）、清水洋氏（イノベーション論）、國頭英夫氏（医学）、五木寛之氏（小説・評論・文学）の14人だ。

これらの人々の言説は、知的刺激に富むと共に、読者一人ひとりの生活と仕事に役立つ内容を含んでいると私は確信している。

国難のインテリジェンス◆目次

はじめに　3

DXで仕事がなくなる時代をいかに生き抜くか

新井紀子
国立情報学研究所教授

ＡＩは人智を超えない。しかしながら、今後は確実にいまある仕事を人から奪っていく――。効率化が社会の隅々まで及ぶ時、私たちに必要となるのはどんな能力で、いかなる生き方なのか。ＡＩロボットによる東大受験プロジェクトを率いてきた気鋭の数学者が語る大転換期の人生設計術。

あらい・のりこ　1962年東京都生まれ。一橋大学法学部、イリノイ大学数学科卒。97年東京工業大学で博士号取得。2006年より現職。現在は社会共有知研究センター長も兼務。11年に人工知能プロジェクト「ロボットは東大に入れるか」を開始、16年から「リーディングスキルテスト」の開発を行う。「教育のための科学研究所」代表理事・所長も務める。

佐藤　新井先生の『ＡＩ vs.教科書が読めない子どもたち』は、すっかり古典としての地位を確立しましたね。計算機の延長に過ぎないＡＩが人智を超えないことや、その技術によって生まれたロボット「東ロボくん」が東大に合格できないことは、広く共有されるに至ったと思います。

新井　２０１５〜１６年に見られたＡＩへの過剰な期待は、いまや「がっかり感」に変わっているように見えますね。

佐藤　シンギュラリティ（ＡＩが人類を超える技術的特異点）は来ない。ただ問題はそこにあるのではなく、ＡＩ技術の進展で仕事が消えていく一方、ＡＩでは替えの利かない「読解力」が日本人全体で落ちていることですね。その問題を新井先生は最近、「新文書主義」という言葉で説明されています。

新井　はい。21世紀はテクノロジーの世紀であるとともに、新文書主義の時代です。対面でのコミュニケーションよりもメールやマニュアルなど、文書によるやりとりの比率がどんどん上がっている。しかも高度な内容を読み解かなくてはいけませんし、そこでミスをすると大きな損害になったりします。

佐藤　新型コロナの感染拡大で定着したテレワークが、それに拍車をかけている。

新井　何でも一人で読んで理解しなくてはならなくなりましたね。テレワークだと、もう隣にいる先輩に「これ、どうするんですか？」とは聞けない。自分一人で理解できますよね、自力で読めて当然ですよね、という前提で、仕事が行われるようになります。

佐藤　しかし新井先生が開発されたリーディングスキルテスト（ＲＳＴ）の結果を見ると、自力で読める人ばかりではないことがわかる。

新井　現在、20万人以上にＲＳＴを受けていただきましたが、一部上場企業の方でも中学生並みにしか読解力のない人がいます。

佐藤　芥川賞作家の藤原智美《ともみ》氏も読解力の低下を危惧しています。『ネットで「つながる」ことの耐えられない軽さ』というエッセイ集で、いまのＳＮＳなどでやりとりされているのは、書き言葉でなく話し言葉で、このため日本人の読解力が急速に落ちている、と指摘しています。

新井　文字列によるコミュニケーションはあらゆるレベルで浸透していますが、ＳＮＳでのショートメッセージ的なやりとりしかしていない人と、業務的な文書を書かねばならず、かつ読まねばならない人とでは、どんどん読解力が乖離していきます。昔は新聞という共通のテキストがありましたが、いまはみなが読むものではなくなってしまいました。ＳＮＳには主語も述語もないような文章ばかりですが、一方に非常に高度な文章を速いスピードでやりとりする人たちがいて、彼らがどんどんビジネスを決めていってしまうのです。

佐藤 霞が関の官僚たちも大量の文章を読んで的確に処理することが得意ですが、ホワイトカラーの中でも二分されていくのでしょうね。

新井 これからは総務や経理といった部署がまずＤＸ（デジタルトランスフォーメーション＝変革）で縮小されます。だからホワイトカラーの大量雇用はなくなります。配属された部署に若手は自分一人という状態が生まれ、「このマニュアルでやってください」と言われる。それが読みこなせないと、鬱になってしまうでしょうね。

佐藤 それはもう起きつつある。

新井 かつての日本の会社は、３割の人が利潤を生んで、７割の人はサポートという名の定型処理をして回っていました。終身雇用神話もあった。でもこの７割をどうコストカットしていくかが、ＤＸの目標のひとつになります。

佐藤 そうなると、社会全体ではどんどん階級分化が進んでいきます。

新井 はい。ただ、いま企業の中のＩＴ化はまだデジタイゼーションにとどまっていて、デジタライゼーションには至っていないんですね。ここを混同する人が多いのですが、デジタイゼーションはいままでの業務を前提として、その業務をデジタルにすることです。例えば、文書をPDFにしてタブレットで見られるようにするというものですね。

佐藤　それで何かをやった気になってしまう。

新井　デジタライゼーションは機械同士が協力できるよう規格を統一し、お互いで処理し合えるネットワークを作ることです。これまでの日本の会社は「うちの業務はこうですから」とか「私のクリニックはこうです」と言って、自社用にカスタマイズして業務システムや電子カルテを作ってきました。だからデジタイゼーションは終わっていますが、そこからデジタライゼーションに移行できないんです。

佐藤　規格が統一されていないから、メールで来たデータを手作業で転記しなくてはいけなくなる。

新井　コロナの感染者数の集計を保健所がそうやっていましたね。そんなわけのわからない作業が発生するのが日本のダメなところです。

佐藤　官にも民にもわかっている人がいない。

新井　日本のデジタル化は、文科省のGIGAスクール構想に代表されるように、ハードを学校に配ることだと考えられています。そうなると、デジタルは単にコストでしかない。つまり成長に繋がっていかないんですね。ＩＴ企業も同じです。彼らの利潤率は10％を超えるべきですが、日本のＳＩｅｒ《エスアイアー》（情報システム構築会社）のようなＩＴ企業でも、なかなか10％を超えられないのは、そこに原因があるのだと思います。

佐藤　このデジタライゼーションが徹底されると、社会は大きく分断される。そうならないためには読解力が必要で、新井先生はそれが生産性の向上にもＧＤＰの伸長にも寄与すると指摘されています。ただこの変化を前に、もう低成長社会でいいじゃないかという人たちも増えている。例えば『人新世《ひとしんせい》の「資本論」』の斎藤幸平・大阪市立大学大学院准教授ですね。地球の生態系を考えると、環境負荷が少ないから、その方がいいという主張です。

新井　そうですね。イタリアみたいにしていく。そういう考えはあっていいと思いますが、低成長社会でまったり生きていくにも、そこそこお金は必要です。

佐藤　何かで稼がないといけない。

新井　自分がまったり過ごせる居場所をうまく作ることに、読解力は必要になります。

読解力も体力もない子供

佐藤　北関東のコンビニの店先でたむろしている子供たちはどうでしょう。彼らの近未来はあまり変わらない気もします。

新井　私たちの時代の不良たちというのは、体力がある子が多かった気がします。ケンカが強くて根性があって、ある特定の組織の規律には非常によく従う。そういう子たちは人手が足りない鳶《とび》職といった、機械化できない高度技術が必要な場所で働けました。でも最近の、オレオレ詐欺の出し子で捕まるような青少年は、すごく体力がない。少年院で「クーラーのある部屋じゃないと働けない」みたいなことを平気で言います。彼らに鳶職は無理です。

佐藤　確かにそうですね。私も埼玉の鳶職の親方を何人か知っていますが、若い鳶は減っているそうです。余談ですが、その原因の一つはライバル業種があるからで、それはホストクラブです。ホストの方が稼げる。その業界も上下関係がきっちりしていて、文化として似ている。

新井　なるほどねぇ。

佐藤　一方で開成や灘、あるいは桜蔭といった超難関中学校に合格する子は、中学受験の時点で大人に匹敵する読解力を身につけています。

新井　もう小学4年か5年の段階で高いですよ。

佐藤　中学受験の段階で、数学と英語を除けば、東大入試もある程度こなせます。

新井　この間、開成中入試の算数の問題を見ましたが、問題の条件となる部分を正確に読み取れるのは大人でも1割いないような設問でした。

佐藤　だからエリートたちのほうは変わらない。

新井　ええ。逆におうちでずっとゲームをして読解力もなければ体力もない、という子供たちは、これからほんとに難しいなと思います。

資本主義と民主主義とＤＸ

佐藤　これからの社会がＤＸによって大きく変わっていくと、当然、制度も大きく影響を受けますね。

新井　そこが佐藤さんと話したかったことです。いまの資本主義と民主主義がどんな影響を受けるかは、佐藤さんとじゃないと話ができない。

佐藤　是非ともお願いします。

新井　政治形態が変わる時は、最初に新しいテクノロジーが興り、それによって富の配分や必要とされる職種に無理が生じて、革命や体制の変化が起きます。民主主義もルソーが一所懸命に言ったから生まれたのではなく、先に蒸気機関のようなテクノロジーが生まれ、産業が機械化されて工業が興り、資本主義が生まれたから、民主主義ができてきた。それは工業が都市労働者を必要としたからです。

佐藤　それまでになかった職業です。

新井　都市労働者に機嫌よく働いてもらうには、ある程度、生活を豊かにしたり、自由を担保しなくてはならなかった。また仕事に必要な学問を身につけた方がいいという資本主義の都合から、教育を充実させたり、子供は働かせないで学校に通わせたりするようになった。奴隷解放も労働者の待遇改善も、女性の社会進出も同じ流れです。

佐藤　つまりそれらはすべて資本主義の要請で、資本主義が発展するために必要なことだったわけですね。

新井　だから民主主義は、明らかに資本主義のおかげで生まれたのです。そしてその資本主義が生まれたのは、19世紀テクノロジーのおかげです。

佐藤　いまはＡＩなどのテクノロジーで、それ以上の変化が訪れようとしている。

新井　恐ろしいことに、ＤＸによって起きるのは、人を不要とするタイプの変化です。労働者がいらなくなる。もっともシンギュラリティは来ないので、全部いらないということはなく、非常に高い能力を持つ人が少数必要な世界になっていきます。

佐藤　そうなると、会社のあり方だけでなく、雇用や労働者の意味が変わってくる。

新井　アダム・スミスは、資本主義が労働者を必要とするという前提で『国富論』を書き、現在の経済学もその流れの中にあります。労働者がいらなくなることを想定していない。そこにはさらに落とし穴があって、「神の見えざる手」以降の経済学は、完全競争によって「一物一価」に近づくことをよしとしたわけですね。誰かが起業したり資本家が投資をしたりすると、最初は他に競争相手がいないから価格が不当に高くなりますが、それが完全競争によって一物一価になる。

佐藤　同一市場の同一時点における同一の商品は同一価格になる、という考え方ですね。

新井　それがどうして起きるのかと言えば、情報の非対称性が解消されていくことによって起きるわけです。

佐藤　その通りです。

新井　これまで人間のライフスパンの中では、一物一価になる期間が長かったわけですよ。でもこのインターネットの社会では、価格ドットコムやアマゾンで比較したりすれば、誰でもすぐに最安値がわかってしまう。つまり一物一価がものすごい速さで達成されてしまいます。

佐藤　何か買う時には、最初に検索しますからね。

新井　ひと昔前は、商品について一般の人は知る方法がないから、近所の商店街の電器屋さんから商品を買っていたわけです。

佐藤　自分で調べつくすには、コストと時間とエネルギーがかかりすぎる。だから電器屋さんへの「信頼」でことをすました方がよかった。

新井　そのコストがインターネットによってゼロになってしまった。情報の非対称性が解消されて完全競争になるのが速すぎるんです。そうなると、何かに投資をしても、その投資を回収する前に一物一価になってしまい、利益が出ません。また商品に関しての知識やノウハウを提供したり、ショールームを持って商品を飾ったりしているお店には何のメリットもなくなってしまいます。

佐藤　いまのお年寄りがいなくなったら、街の電器店はなくなってしまうでしょうね。

新井　こうした変化の中で企業が何をするかと言えば、やっぱりＤＸです。ＤＸで岩盤コストである人件費を究極まで削る方向に向かう。いまの業務をただデジタル化するだけのデジタイゼーションでお茶を濁しているような余裕が企業からなくなり、本気でデジタライゼーションをして業態変革をし始める。それに成功した会社だけが生き残り、失敗すれば市場から退場せざるを得なくなります。

佐藤　そこでは働けなくなる人がたくさん出てきますね。こうした問題はマルクスからも読み解けます。『資本論』にこうあります。「あらゆる利益を横領し独占する大資本家の数の不断の減少とともに、窮乏、抑圧、隷属、堕落、搾取の大衆が増大する」。スキルのある高度人材は資本に集まってきますが、それは一握りで、多くは無知で貧困状態で、人の言うがままに従う大衆となる。

小さく起業する

新井　ここにスマホがありますね。この中のさまざまな機能やダウンロードしたアプリを使いこなしているという人たちがいるじゃないですか。

佐藤　何でもスマホでできるという人たちですね。

新井　それがすごいことだと思っているかもしれないけど、違います。あなたは大衆としてスマホを持たせられて、資本家が必要とするデータを集めるために、毎日持ち歩き、さまざまなデータを提供しているだけなんですよ、と言ってあげたい。

佐藤　時には文章を書き込み、写真を撮ってクラウドに保存して、彼らのデータ商売に協力している。

新井　そう、自分の時間を使って、彼らのためにアノテーション（情報のタグ付け）してあげる非常に都合のいい大衆になっているんです。

佐藤　大衆は新しい形で搾取されているわけですね。

新井　こうした社会の中で、いままでの豊かな中間層が経済的に破綻すると、再生産しなくなる。子供を産まなくなっていくのはその一つで、経済全体がシュリンク（収縮）していきます。そして負のスパイラルに陥っていく。

佐藤　この事態に対処する妙案はありますか。

新井　私が提案しているのは、起業です。大企業の一事業部は売上100億円くらいの規模でないと動きません。ですから数億から数十億円程度のニッチなところで起業する。起業のハードルはかつてなく低くなっています。ネットさえ通じていれば、オフィスは自宅、会計と総務はソフトウェアに任せられる。できるだけデジタルを活用することです。人件費を少なくし持続可能な形を作って、モノポリー（独占）の達成を目指す。身の回りの不便を探せば、起業の種は案外見つかるものです。

佐藤 新井先生もＲＳＴで起業しました。

新井 お陰様で２年で黒字化しました。これが画期的なイノベーションかと言えばそうではないですし、別に最新のテクノロジーを使っているわけでもない。やっぱりニッチということだと思うんですね。

佐藤 目の付け所がいいんですよ。

新井 重要なのは、できるだけ多く起業させて、中小企業の新陳代謝を起こし、デジタルを活用した新しいタイプの業態を作ることです。

佐藤 起業を目指す若者が増えているのは、一筋の光明ですね。

新井 ただ市場から退場せざるを得ない人が出てくるのは不可避なので、小中学校の義務教育や高校大学の教育を本質化する必要があります。

佐藤 それはＧＩＧＡスクールではない。

新井 デジタルドリルで勉強させることは全然本質ではありません。その程度の勉強は

ＡＩがやれてしまう。やはり問題は読解力で、読み書き聞き、そして表現する力を高校の卒業段階までに身につけてやることです。そうしないと、彼らはまともな職につけなくなる。

佐藤　まだ間に合いますか。

新井　これからは一生で３回転職するようになると私は考えています。テクノロジーが発展している段階では、まだ社会の形態がはっきり出来上がっていない。蒸気機関が発明されてからフォード式自動車ができるまで１００年以上かかっています。

佐藤　いまはＤＸの発展途中です。

新井　この段階では、テクノロジーの都合でどういう職種がいらなくなるかが決定されてしまうので、流動的になる。それはつまりどういう仕事に人が必要なのかも流動的だということです。人が20歳から60歳まで働くとして、その40年間には10年に一度、転職しなくてはならなくなると思う。だから当面はこの3回の転職を無事乗り越えることがすごく大事になります。

佐藤　3回を乗り切るのは難しい。脱落していく人も多いでしょう。

新井　これは一人ではなかなか乗り越えられない。できればパートナー、家族と乗り越えるのが望ましい。片方が失敗しても片方が成功すれば生き延びる確率は高くなります。ダブルインカムでもシングルインカムを前提にしてライフプランを立て、３回の転機に立ち向かうことをお勧めします。

巨大地震とデフレが日本を滅ぼす前に

藤井 聡

京都大学大学院教授

毎年のように日本を襲うようになった自然大災害。そして経済を停滞させ、国力を大きく毀損させている長期のデフレ。社会を蝕むこの二つの危機を同時に乗り切る方策があるという。「バラマキ」「無駄遣い」といった俗論を排し、その役割と効果を見直す「公共事業」日本再生論。

ふじい・さとし　1968年奈良県生まれ。京都大学工学部土木工学科卒。93年同大学院修士課程修了。98年工学博士号取得。スウェーデンのイエテボリ大学心理学科客員研究員、東京工業大学助教授、教授などを経て、2009年京都大学大学院教授。12年から18年まで内閣官房参与。『令和版　公共事業が日本を救う』『新・政《まつりごと》の哲学』など著書多数。

佐藤　ここ数年、記録的とされる豪雨や台風によって、日本で大きな災害が頻発しています。先の大型の台風10号（2020年9月）では幸いにも軽微な被害ですみましたが、7月の熊本豪雨は甚大な被害をもたらしました。

藤井　県南部を流れる球磨《くま》川で13カ所、氾濫・決壊しました。この水害で65名が命を落とし、2名が行方不明です。この災害については、経団連の山内隆司副会長が記者会見で「一種人災の面がある」と述べましたね。

佐藤　川辺川《かわべがわ》ダムのことですね。

藤井　民主党政権の「コンクリートから人へ」のスローガンのもとに起きた脱ダムブームの中で、目の敵にされたのが「東の八ッ場《やんば》ダム」と「西の川辺川ダム」でした。球磨川水系上流に建設中だった川辺川ダムは、2008年に蒲島郁夫・熊本県知事が工事の中止を決定しました。あのまま完成していたら、今回の水害を確実に防げたかどうかはさておくとしても、ある程度は減災できたのは間違いありません。

佐藤　群馬県の八ッ場ダムの方は、完成しました。

藤井　こちらは2009年に工事が中止になったあと、11年に1都5県の知事が要望したことで工事が再開し、今年4月に本格的な運用がスタートしました。東日本で猛威を振るった昨年（19年）10月の台風19号の時は試験貯水の段階で、ほぼ空だったダムに大量の水を貯めて利根川の決壊を防いだ形になっています。もし川辺川ダムが完成していたら、同様の治水能力を発揮した可能性が高い。

佐藤　藤井さんは第2次安倍内閣発足以来、6年にわたって防災・減災ニューディール担当の内閣官房参与を務められました。安倍内閣の柱の一つだった国土強靭化計画を実質的に発案し、企画・推進してこられたわけですが、振り返ってどんな感慨をお持ちですか。

藤井　理想と現実の乖離――精神の修行として非常にいい機会でした（笑）。そこから公共事業の重要性を発信してきましたが、なかなか理解してもらえませんでした。「公共事業は無駄なバラマキだ」とか、先進国中最低水準なのに「日本の公共事業費は高い」とか、誤った認識がいまだにまかり通っています。

佐藤　藤井さんと言えば、日本再生のための積極的財政出動や消費税減税・廃止の論考が注目されますが、本日は公共事業による防災についてご説明いただこうと思っています。まず台風シーズンでもありますし、先の川辺川ダムのように災害対策がどうしてちゃんと進んでいかないのか、そのあたりからお願いします。

藤井　災害対策とは、喩えて言うなら保険です。何もしていなければ、災害が起きた時にとんでもなく大きな被害が出る。しかし対策という保険に入っておけば、災害が起きても被害をある程度は食い止められます。現代に生きる私たちは、たいてい何らかの保険に入っていますよね。

佐藤　そうですね。国民全員ということで言えば、健康保険があります。

藤井　だから保険の効用が理解できるならば、防災は当然やらなくてはならない。まずここまでは誰とでも合意できると思います。そして次には、どんな保険に入るのか、その保険にどれだけのお金をかけるのかを考えることになる。科学的に考えれば、リスクは「確率×被害の程度」で、リスクが高ければ高いほど、保険にかける金額は高くなっていく。

佐藤　外国に赴く外務省職員には海外旅行傷害保険をかけますが、それに戦争特約をつけると、1日の掛け金が数十万円にもなることがあります。それは確率から導き出されるわけですが、危ないところが高いのは、皮膚感覚でわかります。

藤井　恐らくここもたいていの人にご納得いただけると思います。ただ、この話を政府の政策に落とし込んで考えると、おかしなことになってくる。

佐藤　なるほど。

藤井　先ほどおっしゃったように記録的な雨が降ったり、強風を観測したり、あるいは潮位の上昇があったりして、100年に一度と呼ばれる災害が次々起きています。この時、理性的に考えれば、防災にかける金額が増えてしかるべきですよね。ところが、わが国ではそういうメカニズムが働かない。防災への投資金額は、基本的にプライマリーバランス（基礎的財政収支）によって制限されています。防災リスクとは無関係なロジックで決められているのです。

佐藤　予算の制約がある。つまり財務官僚が出てくるわけですね。

藤井　そうです。財務官僚との闘いの中で防災投資金額が決まっていく。国民の命を蔑ろにすることなど、近代国家としてあり得ません。その理不尽さに気がつかないといけない。

佐藤　民主党政権下で減らされた公共事業費は、自民党政権、特に国土強靭化を掲げた第2次安倍政権で増えてきたのではないのですか。

藤井　増えていません。財務省のデータ（当初予算ベース）では、2014年度に年間6兆円となって以降ほぼ横ばいで、民主党政権時代のもっとも低い時期より1・4兆円増えたことになっている。ただこれは2014年に当時6000億円程度あった社会資本整備事業特別会計を一般会計の公共事業関係費に組み込んで計上するよう定義変更されたためで、粉飾決算の意味合いが強い。実際に計算してみると、安倍政権下での公共事業費は一般会計の実質値で5・5兆円に満たない金額が続き、これは民主党政権初期の数字よりも低い水準です。

佐藤　財務省のデータを根拠にして、バラマキと言われても困るわけですね。

藤井　数字から見れば、安倍内閣は民主党の「コンクリートから人へ」路線を継承しています。つまり「コンクリートから人へ〝継続〟内閣」だったのです。

官僚はなぜ合理的でないか

佐藤　参与時代には、役所の不合理さや理不尽さを思い知らされることが多々あったでしょう。

藤井　ええ、だから修行でしたね。

佐藤　私がモスクワの日本大使館に赴任した時、館内に隠し部屋があったんです。アクリルの椅子と机が置いてあり、その周囲では音声を流して、盗聴防止装置付きの部屋ということになっていました。でもそこにラジオを持ち込むと聞こえるんですね。つまり電子的に遮蔽されていない。当時すでにマイクも発信器も小型のものがありましたから盗聴は可能で、そこを上司に指摘すると、どやしつけられました。

藤井　どうして叱られるのですか。

佐藤　本省の専門家が作った部屋に研修生がアヤをつけるのかと。

藤井　そんなことでは、この国は滅びますよ。

佐藤　結局、そこの部屋はそのままでした。官僚もみな最初は合理的な思考を持っていたはずですが、そういう理不尽な出来事を通じて権力の本質を覚えていく。権力とは、相手の意思に反して自分の意思を強要することであり、合理的なことをなすにはまず権力を握るしかないと考える。でも力をつけていくうちに、その当人も合理性を失っていくんです。

藤井　財務官僚にしても他の省庁の役人にしてもまずは出世ゲームですからね。組織として出世ゲームを覚えさせると、彼らはそこに自分の意思なく欲望のまま突き進んでいく。これはもっとも非政治的な動きで、全体主義的な現象です。

佐藤　官僚の職業的良心が出世することと同義になっているわけですね。

藤井 出世ゲームなど関係ない、という人が8割いたとしても、残り2割が必ず出世し、拡大再生産していきます。そして心ある人がどんどん駆逐されていく。その過程でいわゆる忖度の塊が出来上がっていく。

佐藤 そうなると、そこは政治的な問題を解決する場ではなくて、ただのシステムです。

藤井 そうです。普通はそういう組織の中にもちょっと遊びがあって、優秀だけども隅に追いやられている係長や課長がいたり、逆に上司から見て面白い人材が一人や二人いたりする。彼らが組織の豊穣性を担保していたわけですが、それも排除される状況になってきましたね。

佐藤 大学時代に神学を学んだ私のような存在を外務省が拾ってくれたのは、たぶんそういう役割を期待していたんですよ。

藤井 佐藤さんのようなユニークな官僚も、かつては存在しやすかったと思うのです。佐藤さんタイプの官僚がレジリエンス（強靭さ）のある組織を作り、政治のダイナミズムを作ってきたと思うのですが、そうした部分が決定的に破壊されていった。それは、デフレーションになったからだと思います。

佐藤 というのは？

藤井　デフレになると収入が少なくなりますね。そうするとどの会社でも企画部門より財務部門が強くなる。国も税収が落ちれば、財務省が強くなり、経済産業省や国土交通省など企画部門の予算が削られていきます。そうすると、国の将来よりも予算が大事になる。

佐藤　それこそ政治でも行政でもなく、システムの保全が自己目的化されている。安倍政権は途中からそうしたシステムになってきたように見えました。

日本を滅びさせないために

藤井　私はもともと土木工学が専門で、社会心理学も含めた社会工学を研究してきました。インフラを見据えながら社会を作ることが自分たちの学問、それも実践学問だと考えています。すると目下、最大のテーマとなるのは、日本という国家が滅びないようにするにはどうすればいいか、ということです。いま国家が滅びる要因として、もっとも確率が高いものの一つが地震――首都直下地震と南海トラフ地震です。

佐藤　どちらも30年以内に起きる確率がおよそ70％と言われていますね。

藤井　土木学会による被害推定額は首都直下で７７８兆円、南海トラフは１４１０兆円と、ものすごい金額です。日本のGDPは550兆円ほどですから、どちらもそれを遥かに超えます。土木学会は防災対策を行った場合の効果も試算しています。首都直下では、10兆円以上の投資で被害は34％、南海トラフは38兆円以上の投資で41％、被害を減ずることができるとしています。

佐藤 双方合わせて、だいたい40兆～50兆円必要になる。かなりの金額ですね。

藤井 私はその対策を10年以内に完了すべきだと考えていますが、これを10年で割れば、年間4兆～5兆円です。現在の公共事業費は5兆～6兆円ですが、ピーク時の小渕政権時代は14兆～15兆円でしたから、十分に可能な水準です。

佐藤 具体的にはどんな対策になるのですか。

藤井 津波対策としての堤防の強化、橋梁・港湾施設の耐震強化、建築物の耐震補強、避難道路の整備などですね。

佐藤 東日本大震災の経験が生きてくる。

藤井 地震は日本が滅びるイメージとして非常にわかりやすいのですが、もう一つ、日本を滅亡に導く重要な問題があります。先ほども触れたデフレです。多くの人はデフレを単なる経済問題と捉えて、日本が滅びるほどの要因とは考えていませんよね。

佐藤　デフレ脱却を主張する人は多いですが、あくまで経済の話ですね。

藤井　デフレが進行していくと、国力がどんどん衰退していきます。富国強兵の逆の貧国弱兵で、外交力もどんどん失われていく。

佐藤　国際社会における発言力は経済力と切り離せません。

藤井　その結果、日本は東アジアの貧国になって、経済的にも軍事的にもアメリカへの隷属化がどんどん進んでいきます。一方、国内では格差が激しくなり、腐敗が進行し、富裕層だけがゲーテッドシティ（安全のため周囲を塀で囲った住宅地）で生活するような社会が生まれてくる。これもまた国が滅びていく一つの姿です。

佐藤　そこまで深刻に考えている人は少ないと思いますが、ソ連のように国家が突然崩壊することはある。

藤井　巨大地震とデフレ、この二つを一挙に解決するのが、国土強靭化なのです。

佐藤　藤井さんならではの発想ですね。

藤井　私が主張しているのは、10年で200兆円を投入して内需を拡大させると同時に、その10年で徹底的に地震に強い国家を作る、ということです。これはもう2011年3月11日の大震災直後から主張してきたことです。

佐藤 参与になる前からということになりますね。

藤井 たまたまその年の3月15日に参議院の予算委員会に参考人として出席し、消費税増税について反対意見を述べることになっていました。そこに東日本大震災がやってきたのです。そこで用意していた内容を書き換え、「東日本復活五年計画」「列島強靭化十年計画」として、3月23日に延期された予算委員会で緊急提案したんですよ。

佐藤 当時は民主党政権ですよね。

藤井 民主党政権側にも積極財政派がいまして、デフレ脱却策などでアドバイスをしていました。ただ、もともとインフラ整備には冷たい政党ですし、財務省も猛反対したので話は進まず、自民党政権になって大島理森《ただもり》さんに共鳴していただき、二階俊博さんなどを巻き込んで進めることになったのです。

佐藤 田中角栄の「日本列島改造論」を彷彿とさせます。

藤井 まさにその通りで、最初は列島改造論のイメージで「列島強靭化論」と呼んでいました。それが政策段階で「国土強靭化」となり、二階さんによって推進され、デフレ脱却についてはアベノミクスの第二の矢に昇華されていきました。

佐藤 それだけ影響力があると、やはり財務官僚は嫌がりますよ。

藤井　いろいろ言動をチェックしていた人がいたようです。参与を辞したのは一昨年（２０１８年）末です。国土強靭化の基本計画などが策定され一定の職責を果たしたので、言論活動に比重を移そうと考えていたところ、反対していた消費税増税を行うと政治決定したので、それを機に辞任しました。

新幹線網で地方再生を

佐藤　私は同志社大学の神学部で教えているのですが、藤井さんの「スーパー新幹線構想」を授業に使ったことがあります。東京とは別に大阪を起点にした新幹線網を考えると、日本の姿が全然違って見えてくる。工学的な視座を実際に運営するとどうなるのかを学生に教えるには、最適なプランでした。

藤井　日本が滅んでいくもう一つの道筋は、地方が衰退していくことです。日本の国柄は地方に宿っているからです。地方に鎮座する八百万の神々がきちんと祀られてこそ日本は豊穣な国になるというイメージが私にはあります。防災ともデフレとも無関係な文脈で、地方再生をすることがすごく大事で、その中心的なプロジェクトが新幹線網の整備です。

佐藤　地方再生だけでなく、東京への一極集中も解消できる。

藤井　はい。さらに地方が豊かになっていきますから、当然デフレ脱却にもつながりますし、その結果、財源が豊かになれば、国土強靭化にも貢献する。だからプロジェクトとして一体化していきます。

佐藤　東京圏とは別に、大阪から北陸新幹線、山陰新幹線、四国新幹線を延ばしていく。そうすると距離が異化され、日本が変わって見えます。山陰などは非常に近く感じる。

藤井　フランスやドイツにおいては、新幹線は概ね20万人都市を結ぶ形で整備されています。新幹線で結ばれた都市間には様々なビジネスの交流が生じ、経済的に一体化した都市圏が形成されていきます。

佐藤　いまの新幹線は、そういう観点からは作られていない。

藤井　そもそも日本の新幹線は国家的意思を反映させる形で整備されてきていないのです。道路に関しては田中角栄の制度設計で、揮発油税を使ってシステマティックに道路が作れる仕組みができていました。だから道路はおつりが出るくらいに整備された。でも新幹線は、それが幾分キャッシュフローを生み出したために、民間的に運営されてしまった。

佐藤　利益が出たわけですね。

藤井　そうするとビジネスの論理が優先されて、地方への投資がなおざりになってしまう。

佐藤　キャッシュフローが出たことが、逆にマイナスに働いてしまった。

藤井　国家的な意思を反映させるという点では、港湾もできていません。

佐藤　釜山《プサン》など外国の港にどんどん船を取られていますね。

藤井　港が船の大型化に対応できていないからです。いまは水深18メートルの港でないと大型コンテナ船が入れません。横浜港はようやく整備されましたが、名古屋も神戸もまだです。そうなると外国の港で荷物を小さな船に積み替えて日本に運ぶことになりますから、コストが高くなる。港は数千億円くらいの投資で莫大な効果を生みます。

佐藤　なぜ18メートルにできないのですか。

藤井　これにはGHQの影響も大きいと思います。戦後、GHQが行ったのは国力の解体です。海軍国家だった日本の港湾に国家の意思を反映できないよう、管理権を地方自治体に移譲させてしまった。

佐藤　港湾には様々な利権があって、何をするにしても命がけのところがありますからね。

藤井　地方自治体だけではそれにもきちんと対処できないわけです。参与時代には港湾の国家戦略的整備なども考えましたが、なかなか難しい。

佐藤　やはり大きなインフラは、全体を見据え、国が主導して作る必要がある。

藤井　そのためにはデフレ脱却をして、財務部門より企画部門を強くし、そうしたプロジェクトが動くようにしないといけません。公共事業費は、毎年使い切ってしまう社会保障費と違い、ストックとなって富を生み出し、経済を循環させていきます。それを考えれば、日本の公共事業費は高くない。そこを幅広く皆に理解していただきたいと思っています。

男性は結婚できると中流意識が持てる

三浦 展

カルチャースタディーズ研究所
代表取締役

年収400万円台でも「中の上」という階層意識を持つ若者たちが増えている。長期にわたるデフレの影響や中古市場の拡大によって、購買可能なものが多くなったためで、「デフレ中流」とでも言うべき世代だ。そんな彼らの嵩上げされた中流意識を支えるものがもう一つある。結婚である。

みうら・あつし　1958年新潟県生まれ。一橋大学社会学部卒。82年(株)パルコ入社、マーケティング情報誌「アクロス」編集部に配属され86年より編集長。90年三菱総合研究所入社。99年カルチャースタディーズ研究所設立。主著に80万部のベストセラー『下流社会』ほか『「家族」と「幸福」の戦後史』『ファスト風土化する日本』『第四の消費』など。

佐藤　三浦先生が2005年に出版された『下流社会』は、画期的な一冊でした。まだ中流幻想が残っていた日本社会に、はっきりと下流社会の現実を突きつけた。あれから15年が経ち、三浦先生は、中流が解体しつつあると指摘されていますね。

三浦　日頃、消費行動などの調査集計業務をしていると、階層意識の「中の中」は全体の真ん中より上に位置していて、その「中の中」と「中の上」の差が減り、逆に「中の中」と「中の下」の間に大きな隔たりがあると思うことがしばしばです。

佐藤　中流が上下に二極化しているということですね。

三浦　ええ。だから「中の中」以上は実質かなり上流の範疇に入る部分があり、「中の下」以下は下流になります。

佐藤　私はいくつかの大学で教えていますが、学生たちは「中の下」という言葉に過敏に反応しますね。何かの拍子に「それは『中の下』という感じがあるな」と言うと、その瞬間にピリピリと電気が走ったような雰囲気になる。特に女子学生がそうです。「中の下」に落ちていくことに対する形而上学的な恐怖があるんですね。

三浦　教えられているのは、どちらの大学ですか。

佐藤　同志社大学と同志社女子大学、そして沖縄の名桜大学です。

三浦　優秀な人が多そうですね。実は内閣府の国民生活世論調査でも三菱総合研究所の生活者市場予測システムの調査でも、近年は「中の下」の意識は減り、「中の上」が増えています。それは若い世代ほど強く出ている。

佐藤　大学生ですから「中の上」くらいの意識はある。下流や「下の上」と言っても、リアリティがありませんが、中流という大枠の中で、その下層に落ちて行くことは現実的に起きうる。その恐怖が特に女子学生たちに共有されているようです。

三浦　そうした恐怖も合わせて考えると、調査で「中の上」が増えているのは、アンケートに「中の下」とは書きたくないということかもしれませんね。年収で見ると、いまは400万円台の25〜34歳では「中の上」意識を持つ人が2012年の12％から2020年は19％に増えたんです（注：コロナ後の2022年は18・3％）。

佐藤　商品がほぼすべて100円のローソンストア100に通えば、1カ月1万円程度で食べていけます。年収が400万円あれば、スイーツだって毎日食べられる。

三浦　またスマホでゲームも映画もテレビも音楽も視聴できることが、下流の人々の満足度を上げているようです。

佐藤　メルカリなどフリマでも、さまざまなものが安く買えますし。

男性は結婚できると中流意識が持てる

三浦 中古市場の拡大とデフレの影響も大きいですね。消費税は5%から10%に増えたので、消費支出は増えないのに買えるものが増えた。いわば「デフレ中流」あるいは「偽装中流」という気がします。

佐藤 客観的には「中の下」でも「中の上」くらいまで嵩上げされているわけですね。下流でも中流の意識を持つ人も多いでしょう。

三浦 階層意識は相対的なものですからね。

佐藤 2020年に出版された三浦先生の『コロナが加速する格差消費』では、公務員の夫婦だと9割が「上流国民」だとありました。これは私の皮膚感覚と合致します。

三浦 学歴や年収が民間と同じでも、公務員は上流意識が高いのです。

佐藤 いま、国家公務員の総合職なら生涯所得は3億8000万円くらいだと思います。サラリーマンの平均は2億円強ですから、かなりの高収入です。夫婦なら7億6000万円ですよ。

三浦 もうトップ企業じゃないと争えないレベルです。県庁職員にしても、その県のトップ企業じゃないと比肩できない。

佐藤 県庁職員なら国家公務員総合職より1億円弱少ないくらいですから生涯に3億円、

夫婦で6億円です。

三浦 最近、経産省や都庁の方と会うと、みんなおしゃれなんですよ。民間の人よりずっといいスーツを着ています。

佐藤 もっとも正規の公務員の数は減っています。地方の公務員はかつての半分くらいになっている。私たちが窓口で会う人のほとんどは、公務員試験に合格して職員になった人ではない。

三浦 それは銀行も同じですね。支店に正社員は少なく、ほとんどが契約社員、パート社員になっている。

安倍政権の支持層

佐藤 そうした人たちがみんな忠誠心を持って仕事をしているところが、日本の特別なところです。

三浦 国が国民の生真面目さにつけ込んでいるとも言えますね。それが格差を放置することに繋がります。

佐藤 就職にあたって、最初に非正規雇用で入ってしまうと、そこから上昇することがほんとうに難しい。いまの企業の勤務体系だと、最初の5年くらいは同じように働きますから、違いが見えにくい。多様な働き方があるからと、入口で契約社員でもいいやと考えたら、取り返しのつかないことになります。

三浦　そうして格差が広がってきたわけですが、暴動は起きないですね。

佐藤　下流でも中流意識を持つような状態は、為政者にとっては非常に好都合です。支持政党などについても調査されているのですか。

三浦　前の安倍政権については支持者の属性などを調べている途中です（21年、三浦展『大下流国家』として発表）。安倍政権の支持層は、基本的に正社員で年収も学歴も高い中流以上の人たちです。逆に評価しない人たちは、年収も学歴も低く、非正規が多い。ただし安倍政権が一番嫌いな人たちの層では、学歴が高まります。高学歴でも非正規だったり女性だったりで、女性はレベルの高い大学を出ても、男性並みにはいい職業につけなかった人たちが多い。

佐藤　そこがもっとも安倍政権に批判的な層ですね。

三浦　さらに大学院卒の女性は安倍政権が嫌いな人が多いし、人文系の本を読む人もそうです。菅政権になってから、日本学術会議の任命拒否問題があったでしょう。そこに

男性は結婚できると中流意識が持てる

東大の加藤陽子教授が入っていたのは象徴的なことです。女性、大学院、人文系と安倍嫌いの要素が揃っている。

佐藤 一方、安倍政権がものすごく好きで、収入が高くない人もいますよね。

三浦 いますね。それは世代的に見ると、特にバブル世代の男性なんです。有名私立大卒のセレブである安倍夫妻は、バブル世代の憧れなのでしょう。

佐藤 なるほど。ただ安倍さん自身は少し上です。

三浦 安倍さんは1985年に31歳ですが、まあ、まだ若いですね。昭恵夫人は完全にバブル世代。私には、忘れられない光景があります。小泉政権で官房長官だった安倍さんが、クリスマスの飾りを買いに、渋谷の東急ハンズに行ったんです。政治家が銀座や日本橋でなく、そして正月の飾りやおせちでもなく、ハンズでクリスマスです。安倍夫妻はお坊ちゃん学校の成蹊とお嬢さま学校の聖心の出身だし、バブル世代の象徴的存在なのだと思いますね。

佐藤 その層は活動的ですし、そこそこ人数もいます。

三浦 また、安倍なんか信じているのは、本も読まないバカだ、みたいなことを言う人がいますが、それは嘘です。彼らは読書量がとても多い。安倍不支持の人のほうが読書量はずっと少ない。だから安倍支持かどうかは、結局根本的な価値観というか、好きか嫌いかの違いによっているようにも思えます。そうなると立憲民主党などがどんなに批判しても、なかなか逆転は厳しそうです。

佐藤　菅政権はどうですか。基本的には変わりませんか。

三浦　まだデータはありませんが、とりあえず安倍政権を継承しているので根本は変わらないでしょう。ただ安倍さんの場合、無党派層での支持が多かった。一方、菅さんの場合は、このままだと無党派層の支持は弱いんじゃないでしょうか。コロナ対策次第ですがね。

シュリンクする社会

佐藤　本来なら、生活が厳しい状況にある下流が、下流という自己認識を持ち、そういう社会構造を変えようとすれば革命になります。階層意識と現実が乖離したまま安定する状況をどう見ますか。

三浦　『下流社会』を書いた時、これから2020年までに下流意識が増えていくと素直に考えていたのですが、先述したように、みんなが下流に慣れてしまったというか、多くが客観的には下流の水準になったので、意識は下流でなくて中流だということになりつつあるのだと思います。

佐藤　社会が大きくシュリンク（収縮）していることも関係がある気がします。それはドラマ化もされた東村アキコさんの漫画『東京タラレバ娘』のシーズン1と2の違いによく出ていると思います。

三浦　どういうことでしょうか。

佐藤　いずれもアラサーの未婚女性が主人公ですが、2014年に始まったシーズン1は、テレビの制作会社にいて独立した売れない脚本家とネイルサロンの経営者、それに父親の居酒屋で働く娘の三人の物語です。彼女たちは時々集まって、ホッピーを飲みながらタラの白子とレバテキを食べる。そこで恋愛模様が語られていきますが、それだと店で一人2000円から3000円はかかるんですね。

三浦　たしかに最近は白子好きの女性が多いです（笑）。

佐藤　2019年に始まったシーズン2は、廣田令菜《れいな》という区立図書館のパート司書が主人公です。彼女は短大を出た後、派遣でショップの店員をやったり、イベントやポスティングの仕事をやったりしましたが、30歳を過ぎて立ち仕事がキツくなってきた。そこでいまの仕事に就く。

三浦　図書館などは指定管理者制度で民間に運営を任せ、非正規をたくさん雇っています。

佐藤　彼女は親にパラサイトして、コンビニでスイーツを買い、家でネットフリックスを見ていれば幸せで、何の不満もない。ただ30歳になって小学校6年時のタイムカプセルを開けることになり、そこから将来の夢として「結婚して楽しい家族を作って楽しくくらす」と書いた紙が出てくるんですね。それで婚活を始める。

三浦　私は漫画を読んでいませんが、その設定だけでも素晴らしいですね。

佐藤　シーズン2だと、もうほとんどお金を使わない生活です。それで満足している。新型コロナの少し前に始まったわけですが、コロナ後の生活を先取りしています。

三浦　消費動向で言えば、ただ物を消費する「モノ消費」から、旅行や観劇観戦など「コト消費」に移っていく大きな流れの中にありましたが、コロナはコト消費を根こそぎ壊しました。人に会うな、家の中で過ごせ、というわけですから、行動範囲は極限まで狭くなりました。

佐藤　いまベストセラーになっている大阪市立大学・斎藤幸平准教授の『人新世《ひとしんせい》の「資

本論』は、エコロジーの視座からマルクスの『資本論』を再解釈し社会改革の実践的指針を示したものですが、基本にあるのは低成長エコロジーです。つまり社会がシュリンクしていくモデルです。それが読まれているのは、まさに時代を映す主張だからだと思います。

三浦　あの本には概ね納得できますが、彼が目指す脱成長コミュニズム（共産主義）の柱として挙げてある「使用価値経済への転換」は成功しないでしょうね。使用価値の定義にもよりますが、100万円の腕時計をする人にとっては、時を知るのが使用価値ではない。ベンツが買える人にプリウスで我慢しろとは言えません。

佐藤　時計なら、それを嵌めていることで富を誇示することが使用価値ですね。

三浦　だから使用価値はモノの属性だけでは語れない。

佐藤　マルクスは「価値」と「使用価値」を分けて考えますが、そもそもどちらも商品になってから生まれてくる事後的なものです。だから使用価値経済にしろと言っても、商品化されないうちから主張しても意味がないと思います。

三浦　彼が言う、商品に幻想をまとわせて消費を煽ると環境の悪化に繋がるという論理はわかりますが、安物を毎年買い換えるより、幻想をまとった高級品を長期間使う消費の方が、環境にはやさしい。かといって大衆が使うモノは使用価値だけのモノとなると、格差の拡大は認めるということになるし。

佐藤　コト消費が幻想によってモノ消費のようになることもありますし、また同じ物でも、コンビニで買うのと百貨店で買うのは違います。

三浦　そう言えば、1月に日本百貨店協会が2020年の全体の売上高を発表しましたが、4兆2204億円で、前年度比25・7%減でした。減ってはいますが、このコロナ禍の中で売上を75%維持できたのは驚きです（注：伊勢丹新宿店は最高売上を更新し続けている）。まさに二八《にっぱち》の法則で2割の上流が8割を消費しているのだとわかる。上流がモノを買うときは百貨店から社員が来てくれますから。

佐藤　高級なホテルは埋まっていると言いますし、コロナ禍の中でオープンする高級旅館もあります。

三浦　富裕層が乗ったクルーズ船から日本のコロナ禍が始まったわけですが、消費の回復があるとすれば富裕層のコト消費から、という皮肉なことになるかもしれません。

増える未婚シニア男性たち

佐藤　三浦先生は、最大のコト消費は結婚だと書いておられますね。

三浦　はい。先ほどお話しした年収４００万円は、結婚できるかどうかのラインです。近年の傾向では、男性のほうが結婚や子供を持つことを評価する傾向があって、結婚すると階層意識が上昇します。４００万円に届かなくても、結婚で「中の中」という意識を持つようになる。マイホーム、マイカーは賃貸やレンタカーで済ませられますが、結婚はそうはいきません。

佐藤　レンタルでは済ませられない。

三浦　この30年、女性は結婚しない生き方とか、男性が独占していた仕事に生きがいを見いだすとか、どんどん選択肢を広げてきました。でも男性は社会的に認められるために、結婚は重要という意識がある。

佐藤　一方の女子学生たちは、恋愛志向が弱まっている気がしますね。恋人はいる。でも同棲している人が少なくなりました。

三浦　なるほど、同棲ですか。

佐藤　同棲しているというレッテルを貼られることに警戒心が強い。結婚は恋愛よりお見合いがいい、という人も数多くいます。理由を聞いてみると、親なんです。親が気に入らない人を連れて行って、説得するコストを考えたら、親が選んでくれた人の方がいいと考えている。

三浦　家柄を気にするのはこの20年くらいで強まった気がします。1970年代だと、格差のある結婚を称揚するようなドラマがたくさんありました。でもそういうことを若い人たちはもう望まないのでは。これからはマッチングアプリでAIに見つけてもらうことになるんでしょうね。

佐藤　テレビドラマでも、『逃げるは恥だが役に立つ』と、約30年前の『ずっとあなたが好きだった』では、同じように高学歴で恋愛経験がなく、母親の影響が強い主人公が出てきますが、受け止められ方がぜんぜん違う。『逃げ恥』の星野源演じる津崎平匡《ひらまさ》は好感度が高くいい人ですが、『ずっと』の佐野史郎演じる桂田冬彦は、マザコンとして気持ちが悪い人の代名詞となり、佐野さんはCMの話がしばらく来なくなったといいます。

男性は結婚できると中流意識が持てる

三浦　いろいろ統計を見ていくと、これから問題になってくるのは、こうした中で結婚しなかった男性たちです。２０４０年には中年男性だけで３４７万世帯になると予測されています。特に団塊ジュニア世代は未婚者も離別者も多い。それが50歳になっていく。やっぱり50歳を超えると体力が落ちますし、健康を害することが多くなります。その彼らがその後の20年、30年を果たして幸せに生きられるかは大きな問題です。

佐藤　気をつけないと、あっという間に部屋中がカップ麵とかコンビニ弁当の容器だらけになってしまう。

三浦　ところがカップ麵もファストフードも立ち食いそばも利用度は上流のほうが多く、下流では少ないのです。上流の人は忙しいので、昼はそれらで済ますから。でもコンビニ弁当は明らかに下流で多い。

佐藤　一つの指標なのですね。

三浦　趣味だとパソコンやゲームは下流に多く、スポーツと答えるのは上流ですね。

佐藤　私は『鬼滅の刃』のヒットは、コロナ禍の家族という観点から読み解けると思うのです。カギは鬼です。コロナに感染するのと、鬼になるのは同じようなリスクです。そして禰豆子《ねずこ》を守れるのは兄の炭治郎です。つまり、いざとなったら頼れるのは家族か、その周辺の擬似家族しかないという設定です。それがいまの世界像とピタッと合う。

男性は結婚できると中流意識が持てる

三浦　やはり結婚が重要になってくる。以前、本にも書きましたが、その意味では、もう子供は作れなくても、50歳過ぎてから結婚することを奨励すべきですね。

佐藤　ここはロシア人に学ぶべきところです。彼らは20歳前後で一度結婚して、だいたいすぐ別れます。次に20代の終わりから30代でもう一度結婚して、子供を作って自立させて別れる。そして50代に三度目の結婚をする。それが生涯のパートナーになることが多いのです。

三浦　50歳や60歳を過ぎても人生最後の伴侶を見つける生き方をする。そうなると、人生のあり方も社会もかなり面白くなってくるでしょうね。

中谷巌

株式会社不識庵代表

資本主義にいかに倫理を導入するか

お互い独立を保つべき政府と中央銀行が一体化し、デフレ脱却のため金融政策や国債、株式購入などで大量に市場にお金を供給してきた日本。そこにコロナ禍の経済対策も加わり、国の借金は雪だるま式に膨らんでいる。はたしてこのまま突き進んで大丈夫なのか。新自由主義と訣別した経済学者の警告。

なかたに・いわお　1942年大阪市生まれ。一橋大学経済学部卒。65年日産自動車に入社、69年ハーバード大学大学院に留学、73年経済学博士号取得。同大で助手、講師を務めた後、74年大阪大学経済学部助教授、84年教授。91～99年一橋大学商学部教授、2001～08年多摩大学学長を歴任し、現在はリベラルアーツ中心の経営幹部向け研修を手がける株式会社不識庵代表。

佐藤　中谷先生は高名な経済学者でいらっしゃいますが、いまは企業の経営幹部を集めて、哲学、歴史、文化、宗教、倫理など、リベラルアーツを学ぶ「不識塾」を主宰されています。私も時々、そこでお話しする機会をいただいています。

中谷　企業のトップになる方々と現代人間世界の根源的な問題についてともに考えたいと、もう20年ほど続けています。数えてみたら、多摩大学の学長時代も含め、佐藤さんには10回も来ていただいている。ありがとうございます。

佐藤　私にとって、中谷先生はまず「恩人」です。外務省を受けた際、先生の『入門マクロ経済学』が非常に役立ちました。2005年に初めてお目にかかった時、その本にサインしていただきましたね。

中谷　ああ、そうでしたね。

佐藤　そこで「本当に勉強になりました」と申し上げたら、「その本を書いた当時の経済学はちょっと違うと思うようになって、いま抜本的に組み直している」とおっしゃった。そしてその3年後に、新自由主義やグローバル資本主義との訣別の書である『資本主義はなぜ自壊したのか』を出版されました。

中谷　平成はグローバル化が著しく進展した時代で、構造改革、規制緩和の大合唱でした。でも結局は格差が広がり、気候変動も加速した。自由経済の弊害が大きく出てきた時代です。

佐藤　しかも既存の経済学理論が効かなくなっていった。異次元の金融緩和で通貨発行量を増やしてもデフレから脱却できないし、お互い独立性を保つべき中央銀行と政府が一体化し、中央銀行がどんどん国債を引き受けてもインフレにはなりません。いまや「緊縮財政」とか「プライマリーバランス」と言う人はいなくなってしまいましたね。

中谷　おっしゃる通りで、ここ20年ほど中央銀行による貨幣の供給とインフレーションの関係がマクロ経済学の理論とはまったく合わなくなっています。日本銀行の黒田東彦《はるひこ》総裁は、必要ならいくらでも国債を買って貨幣を供給する方針を続けていますが、いま議論になっているのは、株です。

佐藤　日銀（日本銀行）によるETF（上場投資信託）購入ですね。

中谷　特にコロナ感染拡大の2020年春以降は年に12兆円も買っていますから、日銀の保有する上場企業の株式比率がものすごく高くなっていて、20％以上の大株主になっている会社もあります。政府と一体化した中央銀行が、多くの上場企業の大株主になった。これは資本主義の放棄というか、まさに異常事態です。

佐藤　このままだと、封建君主が国を自身の財産とみなす「家産国家」のようになってしまいます。

中谷　昔は中央銀行が存在せず、王様が好き勝手に財産を動かしていたわけですが、それだと健全な経済体制が維持できない。そこでまずイギリスで民間銀行だったイングランド銀行が中央銀行に格上げされて、そこが責任を持って貨幣供給をするという仕組みが生まれました。その制度がずっと続いてきたわけですが、もう貨幣供給量の微調整では資本主義経済を成長させられなくなったんですね。

佐藤　日銀がどんどん市場にお金を供給したわけですから、伝統的経済理論ではインフレになります。

中谷　でもなりません。しかも成長も刺激されない。いったいどうなっているの？　という状況なのです。

佐藤　これは日本だけではなく、先進各国で起きている現象です。

中谷　アメリカのＦＲＢ（連邦準備制度理事会）もヨーロッパのＥＣＢ（欧州中央銀行）も同じような政策を取っています。それと呼応するように、際限なき通貨供給を正当化する理論が広がっている。

佐藤　ＭＭＴ（現代貨幣理論）ですね。

中谷　そうです。いままでは財政健全化が重要な政策課題で、消費税を上げるなど増税によってバランスを取るのが一般的でした。それがＭＭＴでは、税金で財源を作るのも、国債で財源を作るのも質的に何ら差がないということになった。必要な時が来れば国家権力を持つ政府がいつでも国民からお金を徴収できる。だから財政赤字になっても、まったく問題がないと考える。議論はあるにしても、いまＭＭＴが正しい理論であるかのように世界経済は動いています。

佐藤　しかも新型コロナ対策で大盤振る舞いしていますから、その傾向に拍車が掛かっています。

中谷　だからいまの経済政策は、戦時下の総動員体制のようです。それにブレーキをかける人や機関がないのが、大きな問題だと思います。

湿った床の上の油

佐藤　ただ、それでも思うように経済は成長しません。お金が実体経済に向かわず、金融市場をグルグル回っているということでしょうか。

中谷 金融にすべてが回っているわけでもないのです。例えば日銀が国債を買ってお金を支払いますね。それは市中銀行に預金されますが、銀行は貸出先がないのでそれをさらに日銀の当座預金に預け直します。いまその額が600兆円くらいある。結局、国債や株式を日銀が買っても、回り回って日銀当座預金の増加ということになる。

佐藤 銀行が企業に融資していない。

中谷 そうですね。資金需要がない。融資機会がないから、お金はいらないということですね。つまり、資本主義経済が成長のポテンシャルを失っているのです。さらにグローバル化によって、賃金の安いところを探してモノを作りますから、値段が上がらない。だからインフレになりません。

佐藤 では、もし日銀の当座預金が引き出されることになれば――。

中谷 インフレになります。何かの事情で大量に引き出されたら間違いなくハイパーインフレになる。だから私は「湿った床に油を撒いている状態」だと言っています。

佐藤 とりあえずいまは発火しない。

中谷 ええ。ただ台湾問題など、どこかで紛争が起きた拍子に、その油の上に火のついたマッチが落ちるかもしれない。すると一瞬のうちに燃え上がります。ただそのような事態がいつ起こるのかは誰にもわからない。

佐藤　確かに具体的に問題を示さないと、説得力がない。

中谷　だからMMTが幅を利かせ、これだけ世界中で金融緩和が行われているということで、株価はどんどん上がります。非常に危ない状況にあると思いますが、そう指摘しても賛同を得られない。

佐藤　政治家にとっても、MMTは都合のいい理論です。増税は非常に大きな政治的コストですが、それをやらなくていいとお墨付きを得たわけですから。

中谷　MMTでは、インフレになったら国家はその権力を使って大増税すればいいと考えます。でも少なくとも民主主義国家では、増税は非常に困難なプロセスを伴い、インフレを止めるスピードで増税ができるとは到底思えません。日本の消費税も、20年、30年掛かって少しずつ上げてきたわけです。「ハイパーインフレになりました。では大増税します」と言ったら、暴動が起きます。

佐藤　だから放ったらかしておこうということになる。あとは自助努力でやってくださいと。

中谷　そうなるでしょうね。

佐藤　その実例はロシアです。１９９０年代、ソ連が崩壊した後にインフレ率は２５００％になりました。

中谷　ロシアの通貨ルーブルが暴落し、国際基準で見るとロシア人の生活水準がどんどん下がったわけですね。「インフレーション・タックス」という言葉があります。インフレになると、給料はインフレと同じように上がりませんから購買力が落ちます。つまり、国民はそれまでよりも値上がりした商品を買わざるを得ないので、価格が上昇した分の税金を余計に国に払うことになる。国はそこで財政収支を均衡させるわけです。歴史的に見ても、だいたい困難に陥った国はそうなります。

佐藤　当時のロシアの公務員給与はドルベースで月５ドルでした。でもモスクワで生活するには一人30ドルは必要でしたね。

中谷　ただロシアの人たちは歴史的に厳しい経験を積んできているので、郊外に農作物を作る場所を持つなど、自衛策を講じていると聞いたことがあります。

佐藤　ええ。一つは備蓄です。それから互助と贈与の習慣もあります。もともとカール・ポランニーの言う「人間の経済」があって、共産党の幹部なら、自分の持っている特権を、見返りを求めず自分の親族や友人のために使います。庶民も、外国人のところで働いている人なら、そこから物資を得て分け与える。

中谷 それは1990年代ですか？

佐藤 91年のソ連崩壊後も、そうした伝統は残りました。政府もマーケットも信用していませんから、まずは備蓄、そして互助、贈与です。だから2500％のインフレを乗り切ってしまった。ロシアは完全には市場経済化していませんが、そこがロシアの非効率性である一方、強みでもあります。

中谷 それは、ロシアがなかなか民主化しないことと裏腹の関係にありますね。

佐藤 だからロシアは危機に強いのです。普通、2500％のインフレになったら暴動が起きますよ。

中谷 第二次世界大戦後の日本も1949年までに物価が70倍に達するハイパーインフレが起きました。その時、庶民がやったのは闇市ですよね。田舎に買い出しに行って闇市で売り、やりくりしていた。でもいまインフレになったらどうなりますかね？

佐藤 現在は田舎自体がかなり疲弊していますから、同じようにはいかないでしょうね。

中谷 もっとも、いまでも田舎では、キャッシュはそれほど動いていないのに、食べ物は豊かですよ。

佐藤　それはそうですね。沖縄の離島などに行くと、魚と野菜は物々交換ですみます。それと、そうした場所では、のし袋がすごく売れる。

中谷　のし袋？

佐藤　誰かの誕生日とか何回忌などに、500円、1000円といった細かいお金を入れて渡すのです。市場経済とは違い、対価性も合理性もないお金ですけども。

中谷　なるほどね。

佐藤　もしいまのグローバル資本主義の仕組みが崩れるとしたら、ほんとにスケールの大きな混乱が起きるでしょうね。

マーケット万能主義の陥穽

中谷　イギリスのサッチャー首相、アメリカのレーガン大統領が登場して以降は、何もかもマーケットに乗せればいいという思想でやってきました。でもそこが疲弊して、どんどん脆弱になってきた。何か起きた際でも、ローカルなアソシエーション（協同組合など）があちらこちらにあって、アクティブな人間関係を維持できればいいのですが、それすらもマーケット化してきた。だから、何か起きたときの安全弁がなくなっていると思うんですね。

佐藤　個人で見れば、安全弁はコミュニケーション力やネットワーク力になります。それを持つ人と、持たない人との違いが非常に大きくなっている。市場競争原理には、誰でも同じように情報にアクセスできるという大前提がありますが、その部分がものすごく偏っています。

中谷　マーケット理論の信奉者は、さまざまな問題もリスクも、マーケットで取引できる、と考えます。例えば、価格が暴落した時のために、先に買い戻す権利を買っておくとか、それが失敗した時のために保険をかけておくとか。リーマン・ショックの時にあったＣＤＳ（会社などが倒産した際、ＣＤＳの売り手から買い手へ予め決めた金額を払う）などもそうですね。

佐藤　でもマーケットはそれほど万能ではない。

中谷　ドミノ倒しの状況では市場は機能しません。人間には想定外のことがたくさん起きる。大災害もそうですし、新型コロナウイルスが出てくることもまったく予測できなかった。すべてを予測可能なヘッジ商品として取引できると考えるのは人間の傲慢だと思いますね。

佐藤　２０１８年のダボス会議（世界経済フォーラム）で基調講演した歴史学者のユヴァル・ノア・ハラリは著書『ホモ・デウス』で、人類は三つのことを克服したとして、飢餓と感染症と戦争を挙げました。その中でも感染症はもっとも克服できているはずのものでした。

中谷　一昨年（２０１９年）秋、世界中の数百という占い師に、翌年に何が起きるか占ってもらったら、疫病が流行ると言う人は一人もいなかったそうです。占い師に予言能力があるかどうかはともかく、やっぱり人類の歴史は思いがけないことの連続で、その予測しない事態にどんな対応をしてきたかで歴史ができている。マーケット万能主義の決定的欠陥は、人間は何でも計算して予想を立てて対応できると考えていることです。

佐藤　やはり構築主義というか、設計主義には限界がある。

中谷　一昔前は、人口爆発で全人口が１００億人になったら地球はどうなると、心配していた人がいました。でも世界全体の人口は増え続けている一方で、いまや先進国では人口減少が当たり前になっています。

佐藤　日本の人口動態も、団塊ジュニアくらいまでは予測できても、その次の子供たちがこんなに減るとは思わなかった。

中谷　人間が頭の中で合理的に考え、設計して構築すれば、歴史を作っていけると錯覚しているのです。しかし社会はそういうものではない。

佐藤　だから人類にとって、旧約聖書のバベルの塔の話は非常に大きいですね。人間が何かを構築していこうとすると、どこかで崩れてしまう。

中谷　フリードリヒ・ハイエクではないけれど、設計主義は必ず失敗する、ですよ。

佐藤　マーケット信奉者は、設計主義が壊れているのに、設計主義で対応しようということでしょう。そこに気がついていない。こうした傾向は、いわゆるリベラルや左派でも非常に強いですね。

中谷　左派は、基本的に何でも計画通りにできると思っています。設計主義の権化と言えますね。

佐藤　やはりさまざまな制度は、人間の生活の中で、試行錯誤して作り上げてきたものと考えるしかない。だから伝統は重要です。ただ、右派でも立派な教育基本法を作れば背筋の通った日本人ができると考えたら、これは設計主義です。

中谷　人間の頭脳で考える世界の外に何かがある、という謙虚な姿勢でいかないと大きな失敗を招くと思いますね。

資本主義と環境問題

佐藤　いまの菅政権は安倍政権より設計主義的だと思いませんか。竹中平蔵先生も戻ってこられたし、デービッド・アトキンソンさんのような、極端な中小企業改革を提唱する人もいますし。

中谷　アトキンソンさんは中小企業を整理してしまえと言いますが、中小企業がなぜこれだけ多く存在し、どういう経過を辿ってこうなったかが、思考から抜け落ちている。いまの状態は、その時々に最善と考えたことのトータルの姿で、それを人為的に半分にしろとか、3分の1にしろというのは、設計主義の最たるものです。人間は放っておくとどんどん設計主義的になる。それは人間の性《さが》ですかね？

佐藤　自分の思い描くように世の中が動いていくからじゃないですか。一種のゲーム感覚だと思います。特に竹中先生は社会が提言通りに変わっていくことを、面白がっている気がします。一時期までは中谷先生のもとで学ばれた方ですが。

中谷　経済学では価値中立的と言って、資源配分はマーケットが決めるという考え方が基本にあります。アダム・スミスは自己利益を追求する人たちが集まって取引すると、最大の公共的善が「見えざる手」によって達成されると考えた。けれども現実はそんな単純なものでない。

佐藤　価値中立的という前提は、限定合理的なものでしょう。

中谷　地球環境問題を例にとると、「異常気象が問題になれば、水などの関連商品の値段が上がってブレーキが掛かり、マーケットで自動的に解決する」と考えます。でも水や空気に値段をつけるのは難しいんですね。そこにあるものですから、どんどん使ってしまう。すると倫理が必要になってくる。

佐藤　ただ、企業は個別利益を追求するものです。

中谷　企業は「法人」です。組織自体に人格を与えて、あたかも人であるかのように取引できるようにしました。つまり法人という存在は社会によって支えられている。だから、自分の利益さえ上げればいいということにはなりません。やはり社会的責任や倫理が必要になってくる。

佐藤　個別利益だけなら本人以外ついてこないし、価値観だけでも長くは続かない。だから個別利益と価値観の連立方程式が必要になってきますね。

中谷　その落としどころを探していかないといけないのですよ。

佐藤　不識塾が目指しているのは、そこですね。

中谷　もう倫理なき資本主義では人類がもたないと思うのです。かつて私は政府の審議会などに出たりしていましたが、そこでは全然、社会が変えられない。でも大手企業の経営幹部の考え方が変われば、彼らが日本の企業を変えていくかもしれない。株主至上主義ではなく、もう少し大きな社会的責任感を持った組織としての企業を作ってくれるのではないかと期待しています。資本主義世界にどう倫理を導入していくか、それがこれからの最大の課題だと思います。

河合雅司

人口減少対策総合研究所理事長

人口減少が進む日本で「戦略的に縮む」方法

出生数の下落が加速していたところに、コロナ禍がやってきた。経済への影響が深刻化し、賃金が下がれば、結婚や出産を躊躇《ためら》う人はさらに増えるだろう。これから顕在化する人口減少社会に歯止めをかけ、現在の生活水準を維持するには何をすればいいか。『未来の年表』著者による日本「再構築」策。

かわい・まさし　1963年名古屋市生まれ。中央大学卒。産経新聞社に入り、政治部記者、論説委員などを歴任。人口政策、社会保障政策を専門とし、2014年の「ファイザー医学記事賞」大賞など受賞多数。現在は産経新聞社客員論説委員、高知大学、大正大学の客員教授のほか、厚生労働省をはじめ政府の有識者会議で委員も務める。

佐藤　人口減少を続ける日本の未来の姿を描き出してベストセラーになった『未来の年表』（2017年刊）は、画期的な本でした。未来予測という点では、日本版の『ホモ・デウス』（ユヴァル・ノア・ハラリ著）だと思いました。

河合　ありがとうございます。でもそれは褒めすぎですよ。

佐藤　そんなことはありません。『未来の年表』シリーズや、コロナ後の世界を描いた『「2020」後　新しい日本の話をしよう』などのご著書がありますが、有識者や新聞記者にはとても大きな影響を与えています。みんなこれらを参照しながら、状況を読んでいる。

河合　私は少子化に伴うさまざまな社会変化を「静かなる有事」と名付けました。少子化は、国境で紛争が起きたり、目の前にミサイルが飛んできたりといった目に見える有事と同等、あるいはそれ以上に、国家を揺るがす大問題なんですね。

佐藤　人がいなくなれば、国家が成り立ちません。

河合　その通りです。少子化も高齢化も人口減も、いまや小学生が習うような時代になっているのに、この問題に対して日本中が鈍感すぎます。その鈍感さに非常に強い危機感を覚えています。

佐藤　2020年には「女性の2人に1人が50歳以上に」、24年には「3人に1人が65歳以上の『超・高齢者大国』へ」、そして日本最大のピンチと位置づけられている42年は「高齢者人口が約4000万人とピークに」と、トピックスの見せ方が絶妙ですね。

河合　やはり「見える化」をしないと、誰もこの問題に真剣に取り組まない。実は『未来の年表』を出す2年前に『日本の少子化　百年の迷走』という本を出しています。少子化問題について3年がかりで資料を調べて書き上げた本ですが、やや学術的で、アカデミックな世界では受け入れられたものの、市中にはあまり広がりませんでした。

佐藤　タイプ分けをすると、学術一般書ですね。

河合　そうですね。いい本にはなったのですが、読者は限定的でした。だからこの『未来の年表』はとにかく多くの人に届けようということで、編集者の力も借りて思い切って簡略化し、何年に何が起きるという形で書きました。

佐藤　少子化には今回のコロナも大きな影響を与えるでしょうね。

河合　もちろんです。事態はさらに深刻化しています。連日、コロナの感染者数が大きく報じられる中であまり話題になりませんでしたが、毎年6月に発表される厚生労働省の人口動態統計で、一人の女性が生涯に出産する子供数の推定値である合計特殊出生率が1・36にまで落ちたことがわかりました。これはコロナ禍前の2019年の数字です。このところ1・4台まで回復してきていたのですが、0・06ポイント下がった。

佐藤　数で言うと、どのくらい減るのですか。

河合　前年比で5・3万人も減りました。これまで政府は現実的、楽観的、悲観的と三つのシナリオを書いてきましたが、悲観的なシナリオにかなり近づいてきました。

佐藤　そこにコロナの感染拡大がやってきた。

河合　コロナの経済的な影響は非常に大きい。これから雇用が崩れていくでしょう。失業者が増え、同時に非正規雇用が増加する。多くの会社では業績も下がりますから、少なくとも賃金は下がり、収入が減る。

佐藤　将来の不安が増せば、当然、その中では子供を作らない選択をする人が増えます。

河合　少子化はさらに進んで『未来の年表』を書き換えなければならないほどの事態になってくるのではないかと思っています。

結婚＝出産の東アジア圏

河合　もっともコロナがあってもなくても、日本の場合、少子化の最大の原因は結婚しなくなったことです。
佐藤　夫婦間で産む数の問題ではないということですね。
河合　これは東アジアの国々の特徴で、結婚と出産は一体化しています。つまり結婚しないと、子供が生まれない。
佐藤　文化や家族類型が関係しているわけですね。そうするとフランスのように婚外子の不利益をなくす政策をとっても、簡単には増えない。
河合　そうです。フランスがいい、日本が悪いという話ではありません。日本を含む東アジア全般の文化です。台湾などもその傾向が強い。
佐藤　考えてみれば、デキ婚も順序が逆なだけで、結婚へのプロセスになっている。
河合　結婚すれば、いまも夫婦間には、二人くらいは子供が生まれます。夫婦の最終的な平均出生子供数を完結出生児数と言いますが、2015年の調査では1・94です。
佐藤　兵庫県明石市では、二人目からを支援していますね。暴言で話題になった泉房穂《ふさほ》市長が言っていました。一人目はよくわからないうちにできてしまう、そして子育てにはこんなにお金がかかるとわかったところへ、市として二人目の支援をする。するとそれを見て、明石へ引っ越してくれる人が出てくるんだと。その結果、明石市では人口の流入出がプラスになる「社会増」になっただけでなく、出生数が増え、死亡数を上回る「自然増」にまでなりました。

河合 日本では、結婚すれば子供が生まれます。どんな世論調査でも男女ともに8割以上、8割5分くらいがいずれ結婚したいと答えている。だからそれを叶えてあげれば、直接、出生率に跳ね返ってきます。

佐藤 でも実際には、結婚は簡単ではない。橋本健二氏の『新・日本の階級社会』を読むと、非正規労働者、つまりアンダークラスの男性500万人強の有配偶者率は25・7%です。

河合 日本の場合、統計的にだいたい年収300万円を割り込むと、途端に未婚者が増えます。

佐藤 年収300万以下は全労働者人口の4割と言いますね。

河合 そこに大学を卒業して就職した人もかなりいます。どうしてそんなことになってしまったかと言えば、日本の産業界が構造転換をしてこなかったからです。

佐藤 具体的にどう転換すべきだったのでしょう。

河合 戦後の焼け野原から出発した日本は、最初は欧米企業が作らなくなったもの、コスト的に合わなくなったものを、作り方から教わって製造し、復興してきたわけです。日本は、安い人件費で欧米人が満足できる品質のものが作れる唯一の国でした。しかも人口が増え、大きな国内マーケットもあった。

佐藤　高度経済成長は、人口ボーナスと言われていますね。

河合　それが１９８０年代以降、コンピュータの普及が進んでくる中で、日本以外の途上国でもそこそこの水準の製品が作れるようになってきた。そこで一人勝ちだった日本の経済モデルが破綻します。その80年代から90年代に、欧米のように高品質で付加価値のある商品作りにシフトしていかなければならなかったんです。

佐藤　でも成功体験に囚われて変われなかったわけですね。

河合　そこから日本は、人件費を圧縮して価格面での国際競争力を維持しようとしました。最初は中国人の人件費と争い、次にベトナムなどアジアの国々と競争していく中で、まず主婦パートなど女性を安く雇い、やがて正社員にも手をつけて、大卒の非正規雇用にも踏み切っていった。言うなれば、この国を支えていく人たちを犠牲にして、価格競争、薄利多売の発展途上国モデルを続けてきたわけです。

佐藤　個々の企業の生き残り戦略としては、それが合理的でしたからね。

河合　目先のことだけを考えるなら合理的ですが、当時は内部留保もあった。だから産業構造を転換して、日本人の人件費を上げる方向にシフトしていれば、若者たちは結婚でき、少子化もここまでではなかった。

結婚の選択肢がない世代

佐藤　その中核にいるのが、就職氷河期の人たちですね。

河合　その世代の先頭はもう50歳です。非正規雇用の彼らは身分も不安定で、結婚もせず子供もいない人が多い。あと15年もすれば年金受給世代になります。でも多くは年金の保険料を払っておらず、無年金になる。

佐藤　これまでも生活は苦しかったはずですが、まだ親が面倒を見ていたから、何とか生活できたところがあります。

河合　その親もいずれ死んでいきます。そうしたら彼らの老年期はどうなるのか。支えるにしても、その費用を国はどう捻出するのか。

佐藤　きちんとした政策が必要でしたね。

河合　第1次安倍内閣はそれに気がついていた。彼らに向けて「再チャレンジ」政策を作り、特命担当大臣まで任命しました。あの頃、彼らはまだ35歳くらいです。結婚も含めた人生設計と老年期のことを考えて、彼らをきちんと給料が支払われる仕組みの中に戻そうと動き出した。でもそれが第2次安倍内閣では、実質的になくなってしまいました。この国は自分たちで少子化を招き、自分たちで高齢社会における問題を難しくしているようにしか見えないですね。

佐藤 そもそも少子化対策にも効果的な政策はありませんでした。

河合 これまでやってきたのは基本的に子育て支援策です。これは少子化対策とは似て非なるものです。

佐藤 河合さんは、戦争中の「産めよ殖やせよ」アレルギーが強いことも指摘されています。確かに政治や大手メディアのエリートたちはそうでしょうが、国民レベルではそれほどでもない気がします。

河合 「政策はキッチンまでで、寝室には入れない」というのが、戦後の一貫した政府の方針です。かつてGHQは日本の家父長制度を解体するために、子供を持つことは個人の権利であるという意識を植えつけました。戦後の反動期にこれが浸透しすぎて、子作りというプライバシーの領域に国が踏み込めなくなった。

佐藤　「産めよ殖やせよ」も、目的によるところがあります。もはや戦争に勝つためではなく、いまは我が国家と民族が生き残るためです。同性婚やそこに養子を取るといった多様な家族形態と矛盾するわけでもない。やはり、結婚して子供を作りましょうと言うことがタブーになっているのは、どこか変です。

河合　その結果、人生の中で子供を持つという発想がない人たちが増えてきたことは、非常に問題です。これでは日本社会は続かない。

佐藤　『東京タラレバ娘』という東村アキコさんの漫画があります。シーズン2の主人公は、昭和ギリギリに生まれた30歳の女性です。非正規の仕事を渡り歩き、いまは区立図書館の非正規職員です。実家の親にパラサイトして暮らし、レストランや行楽地に行くわけでもなく、コンビニスイーツを買って家でネットフリックスを見ているのが「幸せ」で、それ以上欲しいものがない。

河合　独身なんですね。

佐藤　欲望がすごくシュリンク（収縮）していて、結婚も考えていない。ところが30歳という節目で、小学6年時に埋めたタイムカプセルを開けることになるんです。すると、本人はすっかり忘れていたのですが、将来の夢として「結婚して楽しい家族を作って楽しくらす」と書いた紙が出てくる。そこで初めて結婚が視野に入るんですね。

河合　なるほど、興味深い。

佐藤　そこで結婚のよさを友人に聞くと、夏祭りやクリスマス、大晦日など、自分が子供の時に楽しかったイベントがもう一回味わえると言われて、自分の幼い頃を思い出す。そして婚活を始めるんです。

河合　子供の頃はまだ結婚して家族がいるのが当たり前だったのが、その歳になると、それをすっかり忘れているし、結婚も頭にないのですね。

佐藤　だからこれから若い人たちに対しては、官民双方で、結婚する人生についての物語を作っていくところから始めないといけないのでしょうね。

V字回復は必要ない

河合　ただ残念なことに、結婚数が増えて出生率が上がったとしても、少子化は止まりません。子供を産める女性の数が減ってしまったからです。いまの30歳は30年前に生まれているわけで、いまから増やすことはできない。出産時期を25歳から39歳とすると、子供を産める女性の数は、25年後に4分の3、50年後には半分になります。50年後のカップルがいまの倍の子供を産めば現状の年間80万人台が維持できますが、そんなことはあり得ない。

佐藤　人口はどのくらいのペースで減っていくのですか。

河合　いま年間で30万人減っています。それが２０４０年ごろになると、90万人ずつ減ってくる。やがて１００万人です。企業は立ちゆかなくなりますよ。日本は加工貿易国と言っていますが、実際はほとんどの企業が1億２６００万人の内需で何とか経営を成り立たせていますから。

佐藤　日本のＧＤＰにおける貿易の割合は14％くらいで、韓国の半分以下です。だから明らかに日本は内需型の国です。

河合　人口が減るだけでなく、２０４２年までは高齢化も進みますから、一人当たりの消費量や消費する品目が変わってくる。だから実数以上にマーケットは縮んでいきます。

佐藤　例えば、昨今のタワーマンションブームなどは、非常に危ないわけですね。人口が減るのにどんどん造っている。

河合　東京の郊外に行くと、２００万～３００万円で買える中古マンションがたくさんあります。要するに値がつかなくなっている。

佐藤　十分、通勤圏として考えられる場所でも、そうした物件がある。

河合　それがこの先、都心でもたくさん出てきます。もう需給のバランスが崩れている。それなのに不動産神話は強固で、いまでも6000万円、7000万円と借金してマンションを買っている。価格が維持されるためには次の世代にまた需要があることが前提です。でもその次の世代の需要は激減していくんです。

佐藤　不動産業者はわかっていて、売っているんでしょうね。

河合　もちろんわかっているでしょう。今回のコロナでみんなV字回復を願っていますが、私はV字回復する必要はないと考えています。コロナによっていま私たちは、需要が消失した人口減少後の世界を目の当たりにしているんです。V字回復したとしても、十数年後には人口減で需要が減り、同じ状況になる。

佐藤　コロナで縮んだ需要をあえて戻さず、新しい人口減の市場との均衡点を探していくということですね。

河合　その通りです。経営モデルを変えながら、人口減少を織り込んだところまで戻せばいい。そもそもコロナの前から私は「戦略的に縮む」重要性を訴えてきました。

佐藤　中国やインドと競争しても始まらないということですね。

河合　やはり労働生産性を上げて、付加価値のあるものを作って勝負していくしかない。つまり質を求める社会を作っていく。

佐藤　ヨーロッパのブランドがそうですね。

河合　ヨーロッパの何百年と続く名だたる企業は、時代時代の先端技術を取り入れ、付加価値を上げながら生き残ってきたわけです。そうした方向に日本も向かわないといけない。

佐藤　ただ人が減りますから、どの分野も満遍なく、というわけにはいかなくなります。

河合　おっしゃる通りで、さまざまな分野で担い手が少なくなってきます。これまでも医師が足りないから医学部を増やすというやり方をしてきましたが、各分野で人が足りなくなったらどうするのか。その分野の人材をどのくらい国家として養成するかを考えざるをえなくなる。もちろん職業選択の自由があるので、この仕事に就けとは言えない。でも国として必要な人材や、重要な学問領域に関わる人をバックアップしていく必要が出てくる。

佐藤　自治医大や防衛大学校のイメージですね。多くが留学する国家公務員の総合職や外交官試験はそういう要素があります。

河合　私は「国費学生」を作るべきだと考えています。国家として重点を置く分野を決めて、それに関連する学部や学科の試験に受かれば、学費も下宿費も国家人材として面倒を見る仕組みを作る。

佐藤　それは全面的に賛成ですね。いま大学でもかなり格差がありますからね。勉強ができる学生は、家にコピー機やスキャナーが標準装備ですし、英語の力をつけたい学生はセブ島に行って3カ月間集中的に勉強するなど、経済環境によって大きな差がついています。

河合　個人が利益を得るために税金を使うことはできないので、卒業後の社会還元とワンセットにしなければなりません。でもスポーツではもうすでにやっていますよ。オリンピック強化選手指定をして、そこに税金を投入し、練習環境を整えている。それでメダルが獲れれば国益になる。

佐藤　人数が少なくなると、大勢の中で切磋琢磨し競い合って伸びていくということも難しくなりますね。

河合　だからこそ国費学生が必要になってくる。機会平等で選抜試験を行ってエリート教育をする。そうしないと国際競争はおろか、東アジアの中でも負けていくと思います。

佐藤　それも人口減の怖さですね。

河合　少子化は新しい文化やイノベーションを生み出す力を弱体化させます。若い人が面白いことを考え、組織文化にも新風を吹き込むことで、組織は活性化するし、ベテランもまた頑張るようになります。その原動力を弱めないためにも、国を挙げて優秀な人をどんどんバックアップしていく必要があるのです。

柳沢幸雄

開成中学校・高等学校校長

毎年1000人海外へ「現代の遣唐使」を作れ

言わずと知れた東大合格者数ナンバーワン校、開成。各地から成績１番の子供たちを集めるこの学校では、将来、彼らが社会で活躍できるようどんな取り組みが行われているのか。個人の能力を伸ばし、かつチームで物事を成し遂げる力をつける開成流リーダー育成術と今後の展望。

やなぎさわ・ゆきお　1947年生まれ。開成中学・高校から、東京大学工学部に進む。卒業後、日本ユニバック（現・BIPROGY）に入社するが大学に戻り、同大学院工学系研究科修士・博士課程修了。その後、ハーバード大学公衆衛生大学院准教授・併任教授、東大工学部教授、同大学院新領域創成科学研究科教授を歴任。2011年から開成中学校・高等学校校長。2020年から北鎌倉女子学園学園長を務める。

佐藤　いまや開成出身者は日本のあらゆるところでリーダーシップを発揮しています。霞が関のキャリア官僚にも非常に多い。

柳沢　500〜600名いるらしいですね。

佐藤　私の印象ですが、黒衣《くろご》に徹した仕事ができる人たちが多いですね。内閣情報官から国家安全保障局長になった北村滋さんは開成出身でしょう。

柳沢　北村さんには開成学園の評議員をやってもらっています。この学校はチームで大きな仕事を成し遂げるという経験を、学校行事を通じて繰り返しやっている。それが将来の職業選択に役立っていますね。

佐藤　東大合格者数が38年間トップですが、勉強一辺倒ではない。そうした開成の教育理念やその独自性について、本日はいろいろお話をうかがいにまいりました。

柳沢　ありがとうございます。校名の由来からお話ししますと、『易経』の「開物成務」――物を開いて務めを成す、から来ています。「物」というのは生徒一人ひとりの素質です。それを花開かせる。

佐藤　Education（教育）の本来の意味、まさに引っ張り出すということですね。

柳沢　ええ。それには繭玉から糸を引き出すように、ちょうどいい速度が必要です。速すぎると切れてしまうし、遅すぎると糸が紡げません。そして「務め」というのは、単純に言えば、税金を払うことです。収入を得て、きちんと税金を払う。結局、それが人に尽くすことの第一歩になりますから。

佐藤　それはわかりやすいですね。

柳沢　そうやってそれぞれの素質に合わせて育てていく。最近はあまり言われなくなりましたが、「個性を育てる」のが基本的な理念で、それが伝統として息づいている学校です。

佐藤　私はこの2年ほど毎月2〜3回、母校である埼玉県立浦和高校で教えています。浦和高校も中学時代は学年で1、2番の生徒ばかりですが、入学後はその中で順位がつく。すると大半がこれまで見たことのない順位にショックを受ける。それからどうモチベーションを維持するかが課題です。開成はどうされていますか。

柳沢　開成中学は入学してすぐの5月後半に中間試験があり、6月の半ばには成績が出ます。1クラス43名ですから、1番から43番まで順位がつく。

佐藤　開成に合格する生徒は、英語と数学の知識を除けば、12歳の時点で東京大学の講義でもほとんどが内容を理解できるでしょう。

柳沢　そうですね。だからそんな生徒たちの最初の成績が出るまでに、学校行事を非常に注意深く配置してあるんです。

佐藤　と言いますと。

柳沢　4月には筑波大学附属高校とのボートレースがあります。90年以上やっている伝統行事ですが、その応援に1年生は全員行きます。その応援を取り仕切るのは、高校3年生。彼らに色々と教えてもらう。12歳の子供に18歳の高校生ですから、ものすごく怖いんですよ。私も経験がありますが、「でかい声出せ！」と叱られたりしてね。それが終わると、5月の母の日に運動会がある。

佐藤　早いですね。

柳沢　中学は7クラスですが、高校から100人入学するので高校には8クラスある。だから中学の1クラスを八つに分けて、高校と縦に繋げます。自分のクラスだけでなくて、他のクラスとも一緒にする。

佐藤　なるほど。

柳沢　運動会は団体戦ですから、勝つために高校生は本当に懇切丁寧に勝ち方を教えます。最近ではビデオを使って作戦を立てているようですが、ちゃんと中学生を持ち上げて教える。そして中学1年生は練習に対する反省文を毎日書いて高校3年生に渡し、3年生はそれに丁寧な返事を書きます。いま子供たちは長男が多いですから、ちょうど6年上の兄ができたような感じになる。

佐藤　その縦の関係は一生続きますね。

柳沢　ええ、運動会で知り合った中1と高3の同窓会も結構あります。こうしたやり取りの中で、新入生は高校生から試験や先生の話を聞くわけです。高校生から、試験の成績なんて気にするな、好きなことやれよ、みたいなことを言われると、中学生はその気になってくる。それで中間試験となり成績が出てきても、びっくりしなくなるんです。

佐藤　うまくできた仕組みですね。

柳沢　毎年6月と11月には生徒全員に対して、学校が楽しいか、というアンケート調査もしています。答えは「楽しい」「まあまあ楽しい」「あまり楽しくない」「楽しくない」の四択。今年の中1は「楽しい」「まあまあ楽しい」とポジティブな答えが99%で、「あまり楽しくない」という生徒は3名いました。楽しいと答えた生徒は放っておけばいいんです。「あまり楽しくない」と答えた生徒を丁寧にみていく。

佐藤　そこは非常に重要ですね。外務省で研修指導官をやっていましたが、みんな外交官試験に合格して来ていますから、それぞれ優秀です。でも語学にはどうしても適性がある。みんながドングリの背比べの時はいいのですが、一人が頭三つくらい抜けると2番目以降がやる気をなくしちゃうんですね。その時には個別指導に切り替えるわけですけども。

尖った部分が大切

柳沢 私がいつも生徒に言うのは、勉強ができることは望ましいけれど、望ましい価値の一つでしかない、ということです。自分はこれが得意とか、一所懸命になれるとか、そういうものがありさえすればいい。自分の得意なことを伸ばすのがまず大事です。

佐藤 わかります。私もやりたいことをずっと追いかけてきましたから。

柳沢 仕事選びも同じです。例えばサッカーが大好きで、毎日サッカーばかりやっている。でもJ1の選手になるのもワールドカップに行くのも、数は限られている。そうしたらサッカーに関連した仕事を考えればいい。J1のクラブに入社してもいいし、医学部に行ってスポーツドクターになってもいい。あるいは世界で活躍する選手をサポートする弁護士になるという道もある。

佐藤　私はチェコのプロテスタント神学を研究したかったんですが、当時、共産党体制下では留学できなかったんです。それで外務省の専門職として行くしかないと思って入省しました。でもコースがズレてしまって、ロシア担当になった。チェコ神学の勉強も続けていましたが、その後ソ連崩壊に立ち会って、鈴木宗男事件にも巻き込まれ、作家になった。そして今では大学で後輩にチェコ神学を教えている。

柳沢　自分がやりたいことだから続くんですよ。

佐藤　そうなんです。私がいまも思い出すのは、高校時代、倫理社会を教えてもらった堀江六郎先生の言葉です。私は進学先を同志社大学神学部に決めていたんですが、浦和から行った人がいない。調べてみると、神学部は学年40人いて、大学院に10名ちょっと進んで、あとは行方不明なんですね。さすがに不安になって相談したんです。その時、好きなことやっては食べていけないですよねと言ったら、こう窘《たしな》められました。「佐藤君ね、それは間違っている。本当に好きなことをやって食べていけない人を私は見たことがありません。ただしここで重要なのは、本当に好きということです。中途半端ではダメです」と。

柳沢　どうしてもやりたいことを見つけることが大切です。その点、この学校はそうした尖った部分のある人を受け入れる校風がある。いま初台の新国立劇場でオペラの指揮をやっているOBがいますが、小学校の頃から休み時間になると頭の中に音楽を鳴らしてタクトを振って、級友からは完全に浮いてしまっていた。ところがこの学校に来ると、「あいつまたやってる」で終わり。こんな居心地のいい場所はなかったと言うんですよ。

佐藤　お互いの力を知っていますから、つまらない諍《いさか》いや競争に意味がないことがわかっているんでしょう。

柳沢　社会に出れば、ペーパーテストの結果ではなく、そうした尖った部分が評価されます。その意味では、成績偏重の意識をいかに引き剝がすかが私の仕事です。

佐藤　ただ開成でも、数学とか英語でどうしても遅れてしまう生徒が出てきますよね。その子たちに対してはどうしていますか？

柳沢　教室は集団に対する授業なので、どうしても落ちこぼれと吹きこぼし両方出てきます。落ちこぼれに対しては、開成のOBで将来教員を目指している、あるいは教職をとっている人に声をかけまして、各学年にティーチングアシスタント（TA）として配置しています。

佐藤　TAですか。

柳沢　TAが何をするのかは、学年に委ねています。学年によってやることが違いますから。一方の吹きこぼし、こちらは全部、部活動に任せます。例えば、数学研究部。ここには数学が好きでしょうがない生徒が集まって、数学オリンピックで世界一になってしまう生徒もいる。そういう部活が全部で70以上あるんです。

佐藤　遅れてしまった生徒のことはどこでも考えますが、非常に力があって問題意識が先行している生徒のケアも重要ですね。ここでエリート教育が問われることになる。

柳沢　開成の教員は、教えることに非常に自信を持っています。ですから自分を超える生徒がいることは最初から納得している。彼はスゴいから大学のあの先生につなげようとか、そんなこともやっていますね。

佐藤　それはいいですね。

柳沢　アメリカの高校のようにアドバンスト・プレイスメント（高校で大学の一般教養相当の科目を履修）のコースを作る選択肢もありますが、学内で生徒を分けるのは人間関係にあまりいい影響を与えないんじゃないかと思います。学校としては、みんなに対してフラット。ただ部活として自主的にやるのはいい。そして中高一貫校の利点は、部活が高校まで一緒であることです。中学生は習うだけですが、高校になると教える側に回る。教えることで、ものすごく本人が成長するんですよ。

佐藤　理解していないと教えられないですからね。そして教えるのが一番うまいのは、年齢の近い、数年くらい上の人でしょう。寺子屋なんかはそうなっていた。

母親に子離れをさせる

柳沢　高校生は、かつて自分が教えられたことを中学生に教える。見ていると面白いですよ。中学と高校の校舎の間には一本道路があります。そこを越えると大人になるんです。その間、学校は「手を出さない、口は出さない、目は見ている」です。

佐藤　それが自主性につながる。

柳沢　開成には大きな学校行事が三つあります。運動会と文化祭と学年旅行です。学年旅行は各学年少なくとも1泊以上、中1だけ学校側でセットしますが、中2以降は各学年で旅行委員会を設置します。委員になりたい者が立候補し委員会が結成される。次に行き先の選定となりますが、生徒たちがここに行きたいという提案をする立会い演説会をやって、投票で行き先を決める。

佐藤　民主的なプロセスを経ているわけですね。

柳沢　行き先が決まったら、旅行業者と折衝しながら、パンフレットを作ります。高校になるとカラー刷りで、それは見事なのですよ。

佐藤　そこで身につくのは、総合マネジメント能力ですね。

柳沢　実際に旅行会社と折衝しますからね。キャリア教育で「ようこそ先輩」という行事もあります。

佐藤　多方面にOBがいますからね。

柳沢　最近の新しい取り組みとして、高校1年生が「ようこそ先輩」委員会を作り、人選をして、今年度は26人に講師をお願いしました。実に多彩な人を招いていて、開成を卒業して、今は戸籍上女性になって医学部で学んでいるというLGBTの人を呼んだりしている。

佐藤　生徒もそういう人の話を聞きたいわけですね。将来の選択の幅をみるということで。

柳沢　この学校は「ダメ」と言わないんです。大きな枠を越えた時には止めますが、滅多にないですね。

佐藤　それはいいですね。数年前、浦和高校の生徒たちと進路について話して愕然としたのは、将来なりたい仕事が医師と弁護士と公認会計士ばかりだったんです。でも公認会計士は試験に合格しても監査法人に入らないとなれないし、弁護士は増えすぎて必ずしも高収入の仕事ではなくなっている。医師も同様です。これはつまり親の価値観がそのまま反映されているんですね。だから高校に働きかけて先輩訪問を始めてもらいました。

柳沢　親の影響は大きく、特に母親ですよ。開成中学・高校の合格者説明会をする時に、合格した生徒には「合格おめでとう」、保護者には「密着した子育てご苦労様でした。今日でそれは卒業ですから、皆様ご自身の道を歩いてください」と言うんですよ。さらに母親たちには冗談で「ご主人のもとにお戻りください」と言ったら引かれてしまったので、最近はやめました（笑）。

佐藤　共学だと恋愛をしますね、すると母親が中立的ではない介入をしてきます。この時に１００％母親が味方とは言えないことが皮膚感覚でわかる。ところが男子校ではそういう機会に恵まれない。

柳沢　ええ、そうです。

佐藤　そうすると、母親の期待には応えないといけないかな、と思ってしまう。

柳沢　だから母親に釘を刺す。懇談会などで「お母さんね、息子の背後霊になっちゃダメですよ」「ご主人の背中にお姑さんの背後霊があったら結婚しましたか」とやるんです。

佐藤　上手に親子離れさせてあげることが重要ですね。

柳沢　子供には親離れの本能があります。でも親の方には子離れの本能がない。なぜなら動物は、子供が自立する頃には大概自分の寿命が終わってしまうからです。人間は子離れの本能がないまま、70年も80年も生きる。だから親は意識して子離れしないといけないんですよ。そこを手助けするのも校長の仕事です。

40歳のキャリア選択

佐藤　お話をうかがっていると、さまざまな仕掛けが実にうまく利いている印象ですが、そんな開成にも今、何か課題がありますか。

柳沢　高校1年生で海外の大学に進学したいという生徒がだいたい学年に1割くらいいます。数にすると40名弱くらいですが、3年生になるとその3分の1くらいに減ってしまう。これは基本的にお金の問題なんです。

佐藤　海外の大学はお金がかかりますからね。

柳沢　ハーバード大で、年間700万円くらいかかります。別にぼったくっているわけではないですよ。日本の大学が安いのは、教員をブラックな環境に置いているからです。

佐藤　大学を卒業するとなると、数千万円必要になりますね。

柳沢　だから私は自民党の教育改革本部に、現代の遣唐使を作りましょうと提案したんです。高校生1000人に毎年奨学金をつけて外国に出す。一人350万なら4年で1400万円。その10000人分で1400億円の原資が必要です。どこを削るかと言えば、大学の運営費ですね。

佐藤　それはいい考えです。

柳沢　海外の大学は、一つの国から一定の人数しか入れません。1校10人として世界の100校の学部に行くことになる。彼らが帰ってきたら、非常に大きな力になりますよ。

佐藤　外務省に入ってイギリス陸軍のロシア語学校に通いましたが、当時、1週間の授業料が180ポンドで、住むところが140ポンド、計320ポンドかかりました。これは私の初任給8万7000円とほぼ同額です。でもその1年間の勉強で一生食べていけるようになった。国としては外交官一人に1500万～3000万円くらいかけて養成していますが、語学で使えるようになるのは2割くらい。情報適性がある人はもっと減る。でもその人が何十人分の仕事をします。遣唐使1000人のうち、10人でも優れたリーダーが出れば、日本は相当に変わりますよ。

柳沢 日本はこれまで年功序列、終身雇用でやってきましたね。実はそれが機能していたのは、団塊の世代が社会人になってリタイアするまでの時代だけです。これからは違います。私は40歳というのが一つの分かれ目だと思うんです。

佐藤 かつて、世界で一番優秀な日本の18歳が残念な40歳になっている、という発言をされていますね。

柳沢 ええ、活躍できていない。私は40歳で自分のキャリアを選択するようにすべきだと思います。終身雇用を選ぶ人は、雇用は保障されるけれど給料は横ばい、一方でリーダーを目指し、自分の力量でやっていくという人は、結果責任を負う代わりに、それに見合った報酬を得る。

佐藤 ハイリスク、ハイリターンの人生ですね。

柳沢 そこで残っていく人が真のエリートと言えるでしょう。

佐藤 開成はその予備軍ですね。

柳沢　その一方で、私たちの世代としてやらなければならないことがあります。最近思うのは「人に優しい」という言葉が、日本では無責任さを生み出してきたんじゃないかということです。人に優しいとコストがかかります。ではそのコストは誰が負担しているのか。日本の国家財政はプライマリーバランス（基礎的財政収支）が成り立っていません。もちろん優しさは必要ですが、その実現のため、何かを無償化すれば、そのツケはみな若い世代に回っていく。

佐藤　前提になる部分が崩れたら、優しさなんて言っていられない。

柳沢　だから私たちの世代は、次の世代が活躍できるよう、ツケはなるべく減らしておくことを考えないといけない。そうでないと、子供たちに物が言えないな、と思うのです。

岩村 充

早稲田大学教授

変容する資本主義と経済成長時代の終焉

法人税減税や異次元の金融緩和など、経済成長に向けてのさまざまな政策が効かないのはなぜか。それは、資本主義を支える「国民国家」「株式会社」「中央銀行」の三点セットが揺らいでいるからだという。では私たちはいま、どんな世界に生きているのか。経済から見た現代社会とこれからの課題。

いわむら・みつる　1950年東京都生まれ。東京大学経済学部卒。74年日本銀行入行。調査局、営業局、総務局、ニューヨーク駐在員などを経て92年日本公社債研究所開発室長、94年日銀金融研究所研究第二課長、96年同企画局兼信用機構局参事。98年より早稲田大学教授。21年より早稲田大学名誉教授。著書に『中央銀行が終わる日』『国家・企業・通貨』『ポストコロナの資本主義』など。

佐藤　岩村先生の『国家・企業・通貨』を拝読しました。現代の資本主義を支えるこの三つを発生に遡って読み解き、それがいまグローバリズムとデジタライゼーションによって揺らいでいる、という指摘はとても興味深いものでした。

岩村　はい。「国民国家」と「株式会社」、そして「中央銀行による通貨発行の独占」の三点セットですね。これらは私的所有権制度の確立を背景に19世紀の西欧圏で成立しました。私たちが生きている「いま」という時代がそこから始まっています。

佐藤　19世紀と言うと、ヨーロッパでは革命も戦争もあって、社会が大きく揺れ動いた時代です。

岩村　実際にその三点セットが標準化されるのは19世紀後半になってからで、私は1870年あたりがエポックだと考えています。この時、ヨーロッパがどんな社会だったかと言えば、まず普仏戦争がありましたね。

佐藤　ルイ・ナポレオン（ナポレオン3世）がドイツ（プロイセン）に囚われました。

岩村　共和政と王政や帝政を行ったり来たりしていたフランスでは、普仏戦争直後にパリ・コミューンが生まれてすぐ倒され、そこで第二次大戦まで続く第三共和政が始まります。

佐藤　勝ったドイツは、ビスマルクがドイツ帝国を作り上げますね。

岩村　アメリカでは南北戦争が終わり、イギリスはインドを併合します。18世紀後半のアメリカの独立とフランス革命によって、国の領域内に住む人を国王や領主の財産と見るのではなく、そこに住む人々こそ国家の本質であると考える「国民国家」という概念が生まれました。それがこうした動きの中、浸透していきます。

佐藤　政体が変わる中で、いまにつながる国家観が育まれていったわけですね。

岩村　一方で、イギリスの「イングランド銀行」が１８４４年に紙幣発行の「独占権」を与えられて現代の「中央銀行」の原型となります。さらに株式会社法が１８５６年に制定されている。ただ、これらが本格的に機能し始めるのは、もう少し後からで、そこにはテクノロジーの問題が大きく関わっていると考えています。

佐藤　産業革命ですね。

岩村　はい。ただ産業革命と言うと、歴史の教科書ではジェニー紡績機とかアークライトの水力紡績機とか、あるいはワットの蒸気機関という話になります。でもそれらは産業組織論的には大した革命ではない。紡績業なら、職人が使う道具が、紡績機になったくらいのもので、やり方が少し変わっただけです。

佐藤　機械化の加速に過ぎない。

岩村　それが1870年くらいから急速に変わってくる。産業構造が変化し、リーディング産業が軽工業から重厚長大な工業になっていきます。具体的に言えば、鉄鋼と化学と鉄道の時代がやってくる。

佐藤　そうなると、多額の資金が必要になるわけですね。

岩村　初期の産業革命で登場する機械には巨額の資本など、ほとんど必要ありませんでした。でも鉄鋼を作ったり、鉄道網を敷いたりするには、大規模な資本集積が必要です。そこから資本を持つものにすべての力を集中させるという国家のデザインが生まれ、それがうまくできた国が発展していくことになったわけです。

佐藤　そこはまさに株式会社の出番です。

岩村　株式会社にしても中央銀行にしても、それは社会変革を目指して考案されたわけではない。たまたまそうした仕組みを作った国が、国家間競争の勝者になったのだと思います。

佐藤　日本では同時期に明治維新があります。

岩村　1868年ですから、日本は運がいいのです。西欧圏以外で三点セットを最初に揃えたのは日本ですが、とてもいい時期に開国したことになります。すぐに留学生を送り出し、イギリスの制度を学んで国内にコピーしました。その結果、西欧に遅れること30〜40年くらいで、三点セットができてくる。

佐藤 そうすると日本の近代化の成功は、この絶妙なタイミングに多くを負っていることになりますね。

岩村 その通りです。日本人は優れた民族だから、ということではない。そうした自画自賛的発想に閉じこもっていると、日中戦争や太平洋戦争を始めてしまうわけです。

佐藤 ただ西欧の仕組みを導入しても発展できない国もある。日本ではその三点セットがうまく機能した。

岩村 先進国と発展途上国という言い方があります。この分類には、いまは貧しい国も豊かになる途上にあり、時間さえかければ豊かになるという歴史認識が暗黙のうちに含まれています。でもそうした発展段階説が揺らいでいるのが現代です。西欧社会が経済成長を手に入れた19世紀という時代を境に、貧しい国は貧しいまま、豊かな国はますます豊かになるという世界が生まれたようにも思えます。

20世紀は経済成長の時代

佐藤　ただ20世紀後半からは先進国でも成長は鈍化している。

岩村　19世紀後半から20世紀は、世界的に史上稀に見る経済成長の時代でした。それは人口増に加え、産業が発展する技術的シード（種子）がたくさんあったからです。原油がどんどん採掘され、内燃機関が進歩し、鉄道などの交通網が張り巡らされた。そこでは資本を持つ人にお金を集めて事業をさせたほうが、国が豊かになる。先の三点セットはそれにもっとも適した制度でした。

佐藤　それが機能しなくなっている。いつ頃からそうした変化が訪れたのでしょうか。

岩村　１９９０年頃には明らかに変質し始めていました。日本のバブル崩壊は、ある意味必然です。そこには技術進歩という実体がなかったわけですから。技術が成長に重要な意味を持つのは共産圏でも同じで、ソ連の１９４０年前後から70年代にかけての経済成長はすごいですね。

佐藤　私が初めてソ連に行ったのは75年ですが、その時の印象は日本よりも豊かな国というものでした。

岩村　その時代の産業構造を見れば明らかで、軍需や宇宙開発など重厚長大産業が中心にある。でも経済成長は70年くらいから鈍化していきます。

佐藤　次に訪れたのは外交官になってからの87年ですが、12年前よりも明らかに貧しくなっていましたね。

岩村　私が見るに、ソ連が失敗した理由は二つあって、一つはスプートニクの成功が災いして、アメリカとの過度な軍拡競争にのめり込んでいったことではないかと思います。

佐藤　特に宇宙からミサイルを撃ち落とそうとしたアメリカのＳＤＩ（スターウォーズ計画）ですね。

岩村　国力や国富を考えれば、アメリカとは争ってはいけなかった。

佐藤　２００９年に大阪で世界平和フォーラムが開かれた際、ゴルバチョフ元大統領と一対一で話す機会がありました。その時、ソ連崩壊の直接の理由を尋ねたら「サウジアラビア情勢の分析が不十分だったから」と答えたんですね。石油の増産に転じた意味がよくわからなかったと。

岩村　ソ連は70年代にはもう大産油国でしたか。

佐藤　はい。ちょうどソ連の財政が厳しくなったところへサウジアラビアの石油増産があり、原油価格が下落した。もちろんサウジアラビアとアメリカの間で話はついているわけです。そこへイギリスのサッチャー首相から、民主化を進めてはというアドバイスがあった。

岩村 石油の交易条件が悪化した時期に、体制を変えようとした。

佐藤 私が「要するにアメリカ帝国主義とイギリス帝国主義に対する警戒心が弱かったということですね」と言ったら、ゴルバチョフはニタッと笑って「そうだ」と答えました。

岩村 ソ連衰退の原因としてはもう一つ、1970年代から格差が広がり始めたからではないかと考えているのですが、いかがですか。

佐藤 ソ連には独特の格差がありました。あの国では冬が長いため、野菜が高い。キュウリが1本1000円くらいしました。だから10センチとか15センチと切ったものを買うんです。でもそれを売っている市場から程近いところには赤レンガ造りの14階建ての建物があって、表示は出ていませんが、ソ連共産党の高官だけが入れる党中央委員会付属のホテルなのです。そこのレストランに行くと、まずキャビアが出てきて、サラダ、シュリンプカクテル、蟹のグラタン、ステーキとアイスクリーム、コーヒーのフルコースで500円です。だから身分によって同じ1ルーブルの価値がものすごく違った。

岩村　体制というのは、長く続くと格差が広がっていく傾向があるようですね。どの体制でも、国家の運営に影響力のある人たちがどんどん富裕になっていくように思えます。

佐藤　それは資本主義経済圏ではより顕著でしょう。

経済成長の時代は終わった

岩村　そうです。とくにグローバリズムのもとでは、モノや材料だけでなく人も資本も移動しますから、国家が企業や企業の支配者たる株主を呼び込む必要が出てきます。それが「底辺への競争」という形で現れます。底辺とは、つまりゼロ規制、ゼロタックスです。そこに向けて、各国間で競争が繰り広げられる。

佐藤　法人税を下げて企業の利益を確保するわけですね。

岩村　もちろん日本も同じで、まさにアベノミクスがそうです。その本質を端的に表しているのが、法人税を下げて消費税を上げたことです。

佐藤　ポイントは異次元の金融緩和や財政出動ではないのですね。

岩村　法人税は、売上から原材料費や人件費などを引いた残り分に課税しますね。一方、付加価値税、日本で言うところの消費税は、売上から原材料費を引いた残り分に課税する。消費税は人件費、つまり労働にも課税していることになります。法人税を下げて消費税を上げるのは、企業の利益から配当を受ける株主を優遇し、労働者に課税するのと同じです。

佐藤　株を持つ富裕層がより儲かる。

岩村　しかもアベノミクス開始当初は、日本の株式の半分近くが海外にありました。いまも3分の1が海外株式ですから、国内を貧しくして海外を富ませる政策にもなっている。

佐藤　だから安倍前首相は海外で評判がよかった。

岩村　安倍さんが首相（第2次政権）になってすぐニューヨーク証券取引所で講演しました。そこで「Buy my Abenomics（私のアベノミクスを買ってくれ）」と言いましたが、確かに「Japanese stock（日本株）」は「買い」でした。まるで「ニッポン大売出し」みたいでしたがね。

佐藤　そこが強さでもあった。はっきりメッセージを打ち出せますから。

岩村　アベノミクスでは金融緩和でお金をどんどん市場に流し、そのユーフォリア（過度の楽観）の中で、金持ち優遇を行い、結果、海外に逃げることのできない中間層への課税が強まりました。そうしたなかで安定した社会を作ってきた中間層が細っていくのは、世界的な傾向です。

佐藤　「黒田バズーカ」と呼ばれた日銀による異次元の金融緩和も、デフレ解消にはならず、経済を上向かせることもできませんでした。

岩村　経済成長のための金融政策という考え方自体が間違いなのです。経済成長は、人口増や技術革新などから生まれてくるもので、金融政策はアクセルやブレーキにはなっても、そのエンジンにはなりません。中央銀行が経済を背負っていると考えるのは、一種の思い上がりです。

佐藤　いままでのような経済成長はもう続かないとお考えですか。

岩村　はい。成長の技術的シードは尽き、物的所有が経済成長のキーワードになる時代でもなくなりました。資本主義はもう終わりかけていると思います。なおもかろうじて生き長らえているのは、デジタル財を著作権制度で資本化しているからでしょう。

佐藤　ＧＡＦＡ（グーグル、アマゾン、フェイスブック、アップル）は瞬く間に世界を席巻しました。

岩村　企業活動には「分際」というものがあって、その会社が持っている人的、物的能力に応じて生産水準を決めるのが合理的な経営です。その歯止めがデジタライゼーションで失われた。デジタル財は、知的財産権として確保してあれば、何度でも使い回しできるし、作ったプログラムも繰り返し使えます。また手に入れた顧客データもさまざまな分野に役立てることができる。

佐藤　わずかな優位でも、一気に市場を独占できるような世界が生まれました。

岩村　だから知的財産権が全部資本の提供者に帰属してしまう構造は非常に危険です。みんなが知っていることを、誰かしか使ってはいけないようにする制度が著作権です。でもみんなが知っていることが豊かさを生む世界を作るほうが大切です。

佐藤　著作権がないからいい作品が生まれるということもありますしね。かつてのソ連には、事実上著作権がありませんでした。

関心を奪い合う企業

岩村　ここでもう一つ大きな問題なのは、知識や情報を投入して活動するデジタル企業モデルができたことで「人々の関心」が企業にとって占領すべきフロンティアになってしまった点です。そこでは企業による関心の奪い合いが起きてくる。

佐藤　人間の持つ時間は有限ですし、同時にいくつものサービスは受けられないですからね。

岩村　資本を持つ者が心まで支配していいのかという問題は以前からありましたが、デジタライゼーションでさらにその危険性が高まった。企業は関心の独占に向かい、人々は自分の見たい世界に閉じこもるようになります。それが分断を生む。

佐藤　自分が見たい情報しか見ない。それはもう始まっています。

岩村　人の関心がわかるなら、その人の個人としての尊厳も危険にさらされます。国家は企業に個人情報管理の適切さを守らせることと、企業活動を盛んにして国を富ませたいという要請との間で板挟みになる。

佐藤　国家の役割が問われてくる。

岩村　もっとも、企業が国家の担っている経済的役割を代替しようとすることについては、私は反対でも賛成でもありません。フェイスブックの仮想通貨リブラを各国で潰しましたが、そんなことはしなくてもいい。

佐藤　デジタル通貨は中央銀行でなければという圧力が強いでしょう。

岩村 私はCBDC（中央銀行デジタル通貨）についてコメントを求められると、グロテスクと答えています。貨幣価値の維持を本来の使命とする中央銀行が決済まで独占しなくていい。そもそも決済が法定通貨である必要はない。ドルでも円でも仮想通貨でも役に立てばいいんです。

佐藤 「国家・企業・通貨」の三点セットから外れたものには、生理的に反発してしまう。

岩村 いまのところ、その三点セットに代わる新たな組織論がありません。しかし新しいものが出てくる時には、だいたい反社会的な形で現れてくるものです。仮想通貨の新規発行による資金調達ICO（イニシャル・コイン・オファリング）やSTO（セキュリティ・トークン・オファリング）なんて、名前からして怪しいのですが、それだからこそ可能性を秘めている面があります。

佐藤 デジタル化はいまの菅政権も積極的に推進しています。

岩村 コロナ禍を機に、マイナンバーカードを普及させようとしていますが、私は慎重派です。マイナンバーは国民を管理する道具にもなり得ます。それにこの時代、マイナンバーに頼らないと行政が機能しないようなら、日本は生き残っていけません。いまの情報処理技術からすると、マイナンバーがないと行政が回らない、というのでは困ります。

佐藤 それにクリミナル（犯罪的）な人たちが勝手に他の人のマイナンバーカードを作ることもありえます。

岩村 マイナンバーを通じて人を認識することに行政が頼ってしまうと、マイナンバーが信用できない状態になったら、すべての行政サービスが停止してしまう。

佐藤 一極集中型ではなく、複線化した制度が必要なのでしょうね。

岩村 複線化して、冗長化して、つまりインターネットのような構造を持った制度のほうがいいのです。いまは、ブロックチェーンのように情報を分散管理するやり方もある。私がビットコインを好きなのは、何万もの端末が同じ権限を持っていて、過半数が賛成したら取引が成立するという仕組みになっているからです。

佐藤 デジタル国家と言うと、エストニアやスウェーデンが挙げられますが、どちらも監視国家です。

岩村 今回のコロナ禍対応では、私はスウェーデンに共感しています。日本以外でロックダウンしなかった珍しい国ですが、それは集団免疫戦略などによるものではなく、政府に市民の自由が奪われてはならないという合意があるからでしょう。背景には20世紀初めにナチス的アーリア人優越思想への傾斜があったことへの反省もあると思います。ただ、そんな国でも監視国家の面は強い。

佐藤　スウェーデンは怖いですよ。外務省時代に8年間行き来しましたが、徹底した監視が行われていました。北朝鮮にもビザを要求しないのは、監視が徹底しているからです。エストニアには旧ソ連のKGB（国家保安委員会）による監視体制が、そのまま移行した。国家は監視するものだと国民が考えているから、それを受け入れてしまう。

岩村　コロナ禍は各国で都市封鎖が行われるなど一時的にはグローバリズムを押しとどめ、国家の存在を強く印象づけました。同時に各国が個人情報管理強化でコロナに対応しようともしています。そこで問題なのは、人々の政府への依存度が強まったことです。それを、私たちの自由への制限強化につなげさせてはいけません。今回のコロナ禍で、私たちの「自由への心」が試されているのだと思います。

人間は「合理的」に行動して失敗する

菊澤研宗

慶應義塾大学商学部教授

このコロナ禍にあって、企業の多くは日本的経営から脱却し、生産性を上げるべく世界標準の経営を取り入れようとしている。しかし効率を追求するだけでは、思わぬ落とし穴に陥ることがある。大東亜戦争における日本軍の失敗を斬新な手法で分析した経営学者による日本型組織の再評価論。

きくざわ・けんしゅう　1957年石川県生まれ。慶應義塾大学商学部卒。同大学院商学研究科博士課程修了。商学博士。88年防衛大学校専任講師、93～94年ニューヨーク大学スターン経営大学院客員研究員、99年防衛大学校教授、2002年中央大学教授、12～14年カリフォルニア大学バークレー校客員研究員を経て現職。大学院商学研究科教授も務める。

佐藤　菊澤先生のお書きになった『組織の不条理』を、いまも同志社大学の三つの講座で使わせていただいています。

菊澤　20年以上前の本ですのに、たいへんありがとうございます。

佐藤　大東亜戦争における日本軍の失敗をまったく新しい視点から分析されていて、学生たちが物事を考えるにあたり、非常にいい訓練になっています。あの本は先生が防衛大学校の教授時代にお書きになったのですよね。

菊澤　そうです。私の専門は経営学ですが、防大では民間の学問だとして、役に立たないという批判がものすごくあったんですね。それに対し、経営学でも企業組織論でも、応用すればいろいろなことが分析できて、防大でも役に立つということを示したかったんです。

佐藤　将校、特に情報将校には、この本が絶対に必要です。「人間は合理的に行動して失敗する」という、この本のテーマを押さえておかないといけない。

菊澤　私はそれを「不条理」と呼んでいますが、企業だけでなく、あらゆる組織で起こり得ることです。

佐藤　日本軍の失敗については、防大の教師陣らがまとめた『失敗の本質』という古典があります。それを根底から覆すような切り口でした。

菊澤　もちろんその本は私も納得できる名著ですが、合理的なアメリカ軍組織に対して非合理な日本軍組織という構図で見ているんですね。これは一般にも広く共有されている認識ではないかと思います。

佐藤　日本軍は非合理だし、飛行機に竹槍で向かうような精神主義だとよく強調されます。

菊澤　そういう一面もあるでしょうが、私は１９９０年代に研究が進んだ企業理論や組織論を援用して、大東亜戦争における日本軍は、合理的に行動して失敗した、と分析したわけです。

佐藤「限定合理性」ですね。

菊澤　はい。従来の経済学では、すべての人間を完全合理的と考えて、利益を最大化するように行動すると仮定してきました。完全合理的な人間は、あらゆる情報を収集し、正しく判断して、利益を最大化する。完全合理的な個人は一人で何もかもできますから、あえて組織を形成する必要もありません。

佐藤　しかしながら、実際にはそんな人間はいない。

菊澤　ですから組織を作るわけです。そして組織の経済学と呼ばれる新しい経済学では、すべての人間は完全合理的でも完全に非合理的でもなく、限られた情報の中で合理的に行動する、と考えるところから出発します。これを「限定合理性」と呼びます。

佐藤　そこからさまざまな組織を見ていくと、問題の在《あ》り処《か》がまったく違って見えてきたわけですね。

菊澤　ガダルカナル戦では近代兵器を装備した米軍に対して、日本軍は銃剣で肉弾突撃します。しかも一度ではなく、三度も繰り返しました。

佐藤　無謀な戦術として必ず引き合いに出されます。また小規模戦力を逐次投入したことによる失敗の代名詞にもなっている。

菊澤　けれども「限定合理性」の観点からは合理的なのです。まず、白兵突撃戦術は、日露戦争後、日本のデファクトスタンダード（事実上の標準）でした。白兵戦は、日本のような資源の乏しい国に適合し、日本陸軍ではその戦術を多大なコストをかけて洗練させてきました。この戦術を推進すればするほど、日本陸軍は効果的に資源を蓄積できたわけです。

佐藤　組織構成としても歩兵が中核を担っていましたね。

菊澤　その通りで、もし白兵戦術を変更するなら組織も改変する必要があります。それには多大なコストがかかります。

佐藤　また白兵戦には成功体験もありました。

菊澤　満洲事変や日中戦争、香港攻略作戦などでも、ある程度効果的でした。また、そこで功績をあげた部隊を高く評価してきた経緯もあります。戦術を変更すれば、こうした歴史を否定することになり、士気にも関わってくる。ですから微かに勝利の可能性があれば、戦術として効果的でないとわかっていても、簡単に変えられないのです。つまり、白兵戦術を繰り返すことが合理的な選択だったのです。

佐藤　変革するよりもしないほうが組織にとってメリットがあった。

菊澤　その通りです。変革より現状を維持するコストが低ければ、それを選ぶことが合理的になります。

不正を維持する構造

佐藤　非常によくわかります。霞が関でも日々同じようなことが起きています。昨年（2019年）、経済産業省と文部科学省のキャリア官僚が相次いで覚醒剤で逮捕されたことがありました。

菊澤　記憶にあります。

佐藤　覚醒剤を使っていたら、普通は周囲にわかります。急に態度が変わったり、書類の書き方がおかしくなるということがあったはずです。どちらも当人の机の引き出しから見つかっていますから、役所でも使っていた可能性が高い。

菊澤　そうでしょうね。

佐藤　とくに上司はわかっていたでしょう。でも課長などはだいたい2年で異動します。だからあと1年、穏便にすませられれば次の人にバトンタッチできる。となれば、問題にするメリットがありません。在任中に発覚すれば監督責任を問われて自分にもきつい処分が出ますし、出世にも差し障ります。でも次の人に引き継いでしまえば「気がつかなかった」ですみます。その責任の方が軽いし、どこかでその部下が辞めてくれれば、なかったことになる。

菊澤　合理的に考えて、見て見ぬふりをするわけですね。

佐藤　周囲も同じで、彼がおかしいことを報告すると、事情聴取されたり、周りから白い目で見られたりする。だから放っておくという選択になります。

菊澤　組織の経済学の一つに「取引コスト」論があります。人間は限定合理的ですから、相手の不備に付け込んで自己的利益を追求するものと捉えられる。すると取引において、相互に騙されないように駆け引きが展開され、それによって無駄な取引コストが発生します。それは、会計上には表れない見えない人間関係上のコストです。このコストの存在を認識すると、たとえ現状が不正であっても変革するには多くの人々を説得する必要があり、多大な取引コストが発生するのがわかります。この場合、不正な現状を維持する方が合理的になるのです。不条理は、こうしたプロセスの中から生まれてきます。

佐藤　また役所の世界には「うまくやれ」という指示があります。それが成功した場合は「指示通りよくやった」と評価され、たいていはその成果を7対3くらいで上司が持っていってしまいます。一方、失敗した場合は、「うまくやれと指示したじゃないか、どうして指示通りやらないんだ」と、全責任を押しつけられる。

菊澤　興味深い慣習ですね（笑）。

佐藤　私にも経験があって、ソ連崩壊後のモスクワに、自民党の代表団が来ることになったんです。その際、大使から「休暇をとって、彼らを自発的にアテンド（世話）してくれ」と言われたんですよ。

菊澤　それは怖い。

佐藤　その少し前、私はソ連共産党の秘密文書庫で、日本の社会党や共産党にお金が流れているという資料を見つけて報告したことがありました。これに自民党が非常に興味を持ったのでやってきた。でも公務員の中立性に関わるから「組織としては対応できない」、それで「休んでやってくれ」ということなんですね。

菊澤　なるほど。そこはきちんとしている。

佐藤　それで直属の上司に相談したら「それは筋が悪いから私に相談しないでくれ」と言われ、その上の上司に相談したら「絶対引き受けたらダメ。国会で問題になったら呼び出されるわよ」と言われたのですが、一日おいて「やってみたら」と豹変しました。「バレたらどうするんですか」と聞くと「あんた、バレるような下手打つの？　うまくやるのよ、うまく」と。その上司、男性ですが、何か大変なことがあると、オネエ言葉になるんですよ。

菊澤　それで結局、引き受けたのですか。

佐藤　ええ。いろいろ資料を見つけ出しました。そうしたら今度は社会党が代表団を送ってくることになった。そこで私は「お前、逃げていろ」と指示され、しばらく大使館に行きませんでした。もっともこの話は、自社さきがけ政権が誕生して両者の関係が良好になったので、永久にお蔵入りになりました。

菊澤　問題にならなくてよかったですね。この「うまくやれ」のような曖昧な言葉は、インパール作戦にもあります。攻撃的防衛を主張するビルマ方面軍からインパール作戦を上申された大本営は、「作戦実施準備命令」という命令を発令しました。それは、実行するかもしれないし、中止かもしれない、「よく考えて行動しろ」という曖昧な命令です。攻撃は必要だが、地形的な要因から前線の兵士に武器や食料の補給ができないことは、大本営にもわかっていましたから。

佐藤　明らかに無謀な作戦ですからね。

菊澤　ところが、この準備命令のもとに戦況が悪化すると、「司令官の個人的な野心もあって、この曖昧な命令は「作戦を実行せよ」という意味として勝手に解釈され、作戦が実行に移されます。これは限定合理性と曖昧な命令が結びついて生まれた不条理です。

佐藤　実行に移す際、反対する師団長が次々と更迭されましたね。

菊澤　これも理論があって、合理的に悪い人々が生存し善い人々が淘汰されるという「アドバース・セレクション」（逆淘汰）という現象です。限定合理性のもとでは、例えば、良心的な経営者が、不況で特定の従業員をクビにするのは忍びないので早期退職制度を採用すると、有能な人は合理的に退職し、社外に働き場を見出せない無能な人だけが合理的に残ることになる。インパール作戦も、一方で善良な人々は準備命令のもとでは補給困難で実行されることはないと考えて表舞台から去り、他方で個人的で政治的野心を持つ悪しき人々が実行を求めて表舞台に上ってきた。

佐藤　おもしろいですね。そうした観点から、日本軍を語る人はいなかったと思います。

損得計算を超える

菊澤　ここで大きな問題は、ある意味で優秀な人ほど不条理に陥りやすいということです。なぜなら彼らはさまざまなコストが見えてしまうからです。ガダルカナルでは白兵戦術からの移行に伴うコストの大きさが見えるし、インパール作戦ならそれを実行しない場合の戦局の悪化が見えてしまう。

佐藤　コロナ禍のオリンピックも、21世紀版ガダルカナルと言えるかもしれないですね。

菊澤　止《や》めてしまえば、これまでかけてきた膨大な時間と労力が埋没コストになります。それそして事後処理のため、多種多様の人間関係上の膨大な取引コストが発生します。それが見えると、もう後戻りできなくなる。

佐藤　アメリカのテレビ局NBCへの放映権料もあります。それに第3波で、欧州や中南米から選手が来なくなる可能性もある。もともとロシアがドーピング問題で参加できませんから、そうなると日米中の三国大会に近くなる。するとメダルの数は増えると計算する人もいる。

菊澤　不条理の中でも、特に重要なのは経済効率性と倫理性の不一致のケースです。損得計算上は得だが、倫理的には正しくないと価値判断するケースです。この場合、リーダーとなる人は、損得計算ではなく、価値判断に従うべきです。

佐藤　そこを間違うと、不正でも合理的だとして物事が進んでいく。

菊澤　最近、ゼミの学生に、損得計算の結果と価値判断の結果がズレた経験をレポートにしてもらったんです。すると出てきたのは、やっぱりというか、いじめの問題なんですね。塾で一緒の仲のいい友達が学校ではいじめられている。いじめは悪いことなので止《と》めるべきだったが、自分もその対象になると損をするので、助けにいかなかった。

佐藤　慶應の学生ですから、頭のいい学生たちでしょう。

菊澤　だから彼らがリーダーになったとき、ちょっと怖いな、と思いました。ずっと損得計算という行動原理で育ってきているんですよ。損得計算上、不正の方が得をする状況に置かれた際、どのような行動をするのか、非常に心配です。

佐藤 前に先生は、自分ではコントロールできないから、恋愛をするといいとおっしゃっていましたね。

菊澤 そうですね。それも情熱的な、危険な恋愛をしてほしいと。損得計算など吹っ飛びますから。でもいまの学生は初めから危険を察知し、素早く損得計算し、危ない恋愛はしないんですよ（笑）。

佐藤 この価値判断において、先生は、小林秀雄が晩年まで取り組んでいた本居宣長の「大和心《やまとごころ》」を経営学の中で再定義され、その重要性を説かれています。

菊澤 「大和心」は、誠実さや真摯さなど見えないものに関わることであり、「もののあわれ」を理解する真心でもあります。つまり、非科学的な価値判断のもとになるものなんですね。反対に「漢心《からごころ》」は、科学知識、客観的な基準で、つまりは損得計算です。だから不正がそこにある時、損得計算を超えて価値判断ができるかどうかのヒントが「大和心」にあると考えています。

佐藤 損得計算や効率に支配されない価値判断をするには、超越的な概念というか、一種の哲学的なアプローチが必要になってくる。

菊澤　そうですね。価値判断は主観的なので、頭のいい人間ほど避けようとします。しかし、主観的だからこそ、その責任を取ればいいのです。ただ、日本人はこのあたりが少し弱い。

佐藤　誰かが価値判断するというよりは、その場の「空気」を読むというか、作ってしまう。

菊澤　不正だけど合理的という「黒い空気」ができてくる。しかも、日本人は全会一致とか全員賛成ということが好きで、客観性を担保しようとします。そこでは誰も価値判断していないわけです。しかも、相互主観的あるいは間主観的という意味で客観的なので、だれも責任を取る必要がない。そこが日本人の弱さという気がします。

評価すべき日本型組織

佐藤　一方で菊澤先生は、合理的に計算ずくでない日本の会社組織の曖昧さを評価されているところもありますね。

菊澤　日本の組織には、ただの損得計算に収まらないやわらかさがあります。コロナ禍で非常に日本的だと思ったのは、苦境にある全日空がトヨタに社員を受け入れてくれと要請し、トヨタがそれに応じて検討に入ったことです。こんなことはアメリカでは考えられません。日本ではコロナもみんなで一緒に耐えようとする。そこがとても日本的です。

佐藤　菊澤先生は、いま一つの流れとなっているアメリカ流のジョブ型雇用への移行にも批判的ですね。

菊澤　職務給にすると、みな単能工になり同じ職務に長くつきます。すると、不正が起こりやすくなります。またジョブ型にして評価主義を推し進めると、組織は分断の度合いが深くなります。さらに非正規も多いわけですから、組織としての強さが失われていく。

佐藤　日本の総合職という曖昧な職種についても、評価されています。

菊澤　不確実な時代には、それが強みになる可能性があります。先日、ダイナミック・ケイパビリティ（変化対応自己変革能力）など組織変革について経済産業省でお話ししてきたのですが、変革に当たっての人材について、労働市場を使って必要な人材を組み合わせればいいじゃないか、と言う人がいたんです。

佐藤　人材の流動化を推進してきましたからね。

菊澤　でも労働市場から集めてきた人材で組織を作っても、それは単なるモザイクのような組織で強くないのです。彼らは損得計算して得だからとやってくるわけですから、危機の共有ができない。危機がきたら他に移ればいいという人たちを集めてもしょうがないわけです。会社が赤字になっても、苦境にあっても、この会社が好きだからやめない、この会社で働くことに価値を見出している、そういう価値判断をしてくれる人たちが強い組織には必要なのです。労働市場の流動性は、こういった価値観で倫理的なものを排除する可能性があります。

佐藤　健全な愛社精神ですね。これは非常に大切ですよ。

菊澤　かつてカメラのフィルムメーカーのトップ企業は、イーストマン・コダックと富士フイルムの2社でした。両社とも、デジタルカメラが誕生して、将来的にフィルムの販売が大幅に落ち込むことを1990年代には認識していました。そこで富士フイルムは、危機状態にあることを社員にオープンにして危機を共有し、一丸となって事業を多角化します。まさにダイナミック・ケイパビリティを発揮して、写真フィルム技術を次々と応用して、特殊なフィルムや化粧品、医薬品の開発まで行うようになりました。

佐藤　一方、コダックはなくなってしまった。

菊澤　コダックは危機の共有ができませんでした。それをはっきりさせると、みんな損しないように逃げて行ってしまいますから。結局、上層部は、株主の利益を最大化すべくコスト削減をしたり、豊富な資金で自社株を買って株価対策をしたりしましたが、組織としてそれではまったく変化に対応できなかったわけです。

佐藤　フィルムがいらなくなれば、会社もなくなるのが当然というのがアメリカでしょう。

菊澤　そうです。だから組織が変われない。富士フイルムの場合は、組織としてやわらかさがあった。高い社内労働流動性です。

佐藤　伝統的な日本型経営を評価すると、古い、遅れていると考える人がいますが、私は逆に半歩先を行っていると思うんです。コンプライアンス至上主義とか、評価主義や働き方改革で、いま会社組織はそうとうに歪みや軋みが出てきている。やっぱり組織には健全な愛社精神とか、損得計算を超えた理念が必要ですよ。

菊澤　その方がダイナミック・ケイパビリティが発揮しやすい、ということもあります。

不確実性が普通の状態である時代になっていますが、日本企業はそれに対応できる潜在能力、つまり高い社内労働流動性を持っていると思うのです。

君塚直隆

関東学院大学教授

現代の君主制には国民の支持が不可欠である

いまも王室が残っている国は、わが国も含め28カ国ある。イギリス国王を戴く英連邦を加えれば43カ国である。そしてそのイギリスを筆頭に欧州の主要国には立憲君主制が多い。民主主義が根づく中、各国が共和制に移行していかないのはなぜなのか。現代における君主の意義と役割を考える。

きみづか・なおたか　1967年東京都生まれ。立教大学文学部卒。英国オックスフォード大学セント・アントニーズ・コレッジに留学、上智大学大学院文学研究科史学専攻博士後期課程修了。博士（史学）。東京大学客員助教授、神奈川県立外語短期大学教授などを経て現職。著書に『立憲君主制の現在』『悪党たちの大英帝国』『貴族とは何か』『現代世界の陛下たち』（共編著）など。

現代の君主制には国民の支持が不可欠である

佐藤　君塚先生はイギリス政治外交史がご専門ですが、世界各国でいまも続く君主制の研究でも知られています。２０１８年にサントリー学芸賞を受賞された『立憲君主制の現在』は、日本の皇室を考える上でも格好のテキストです。

君塚　君主制と言うと、時代遅れの制度のように思われるかもしれません。しかし現代の立憲君主制は民主主義を補完する仕組みとなっているのです。多数決による民主主義は、時として国民の対立を引き起こすことがありますが、権威たる王室は国民統合の象徴となって、深刻な分断を防ぐ機能があります。

佐藤　そうですね。まさに日本の皇室もそうした役割を担っているところがある。

君塚　また選挙で選ばれる政治家とは違って任期や辞任がありませんから、外交などで連続性が生まれます。父から子、子から孫へと、いっそう関係が深化していくのが君主制です。

佐藤　ご著作では「君主制は感情に訴え、共和制は理性に訴える」という分析を紹介しておられましたね。

君塚　イギリスのジャーナリストで思想家のウォルター・バジョットの指摘です。

佐藤　私はこれを読んで、レーニンを思い出しました。レーニンが『何をなすべきか』

で、宣伝と扇動を区別するんですね。宣伝、プロパガンダは為政者に対して理性的に紙面で行い、扇動は声で大衆の感情に訴えかける。この二つをうまく使い分けることが、共産党が権力を掌握する鍵だと言っている。それを国家として考えれば、理性としての共和制と感情の君主制になり、君主制が共和制の基礎にある民主主義を補完するのはよくわかります。

君塚　なるほど、レーニンも同じことを考えている。

佐藤　いまも王室は世界にかなりの数が残っていますね。

君塚　アラブ首長国連邦などを1カ国とすると28カ国、イギリス国王を戴く英連邦を加えると、43の国が君主制です。イギリスを始め、スペインやベネルクス三国、北欧諸国など、ヨーロッパの主要な国々でわりと残っています。

佐藤　もっとも20世紀になってから、相当に減りました。

君塚　第一次世界大戦前、共和制の国はフランス、スイス、ポルトガルにアメリカ以南のラテンアメリカ諸国、中華民国くらいで、世界の国々の半分以上は帝国や王国の植民地でした。それが二度の世界大戦で逆転します。そして1950年代からは、中東やアジアの国々で次々と君主制が消えていきました。

現代の君主制には国民の支持が不可欠である

佐藤　私が外務省に入った1985年頃は、アジアの君主制はもう国民に広く受け入れられ、行き着くところまできているから倒れることはない、という認識が共有されていました。それが王族内での殺害事件をきっかけにネパールでは2008年に王政が倒れ、そしていま、タイの王室が揺れています。

君塚　タイでは史上初めてとなる王室改革のデモが起きました。非常に危険な状態ですね。

佐藤　タイには不敬罪もありますし、そもそも王室の力が非常に強かった。それなのに予断を許さない状況にある。現代ではどんな時に君主制が崩れるのでしょうか。

君塚　かつてはエジプトなど、軍部のクーデターで打倒されるケースが多かったのですが、いまは国民の支持がなければ、あっけなく崩れてしまう可能性があります。その傾向はどんどん強まっている。

佐藤　国民の力なのですね。

君塚　君主自身がクローズアップされ、その資質や徳が問われるようになっている。しかもSNSなどによって、国民から直接評価を下されるような状況が生まれています。

佐藤　キリスト教神学に、事効説と人効説という考え方があります。事効説は、儀式や事柄に効力があると考える。だから腐敗した司祭が行った儀式でも、その儀式には効果がある。一方、人効説は腐敗した者が行ったものは効力がないとする。どの教会でも正統派は事効説を取りますが、あまりにひどい司祭がいると、必ず人効説が出てきます。

君塚　まさに1517年のルターの宗教改革ではそれが問われていましたね。ヘンリー8世がイングランド国教会を作った時も、離婚問題が契機になってはいますが、ローマ教皇庁の腐敗が大きな問題としてあった。

佐藤　ヘンリー8世は、実は信仰について真面目な人でしたよね。中学高校の歴史では、カトリックは離婚を認めないので国教会を作ったという女癖の悪い王様みたいに描かれていますが、真剣に信仰に向き合ったからこそ、ローマ教皇庁からの離脱という決断になったのだと思います。

君塚　まったく同感です。

佐藤　君主制は基本的に事効説で成り立っているシステムですが、国民が君主の動向に関するさまざまな情報を得られるようになると、人効説的な面が強まってくる。

君塚　やはりSNSなどの新しいメディアの影響力が大きい。だから国民の支持をどう取りつけるか、それが大きな課題になってきます。

左傾化する王室

佐藤　いま日本の皇室もさまざまな問題が表面化していますが、皇室を廃して共和制にしようという人はいませんね。昭和から平成に替わる時は、まだかなり共和制論者がいたと思います。例えば共産党も社会党左派も共和制を公言していました。ところが令和になる時には、共和制論者がいなくなっていた。

君塚　そうですね。

佐藤　共産党も機関紙「しんぶん赤旗」が生前退位に向けて元号併記に戻しましたし、戦後一貫して欠席していた天皇陛下ご臨席の国会開会式にも、5年前（2016年）から出席するようになりました。こうした変化をどのように捉えていらっしゃいますか。

君塚　イギリスやベネルクス三国、北欧諸国などの王室は、政府が保守化したり右傾化したりする中で、それよりは少し左のスタンスを取っているんですね。

佐藤　そういう傾向はありますね。

君塚　例えば、ノルウェーのハーラル5世は、一所懸命に多文化共生を進めている。でも国内には右派の人たちがいて事件が起こりましたね。

佐藤　2011年の連続テロ事件ですね。オスロで行政機関が爆破され、近郊のウトヤ島では銃乱射事件が起きた。犯人のブレイビクは極右で反イスラム、反移民を主張していました。

君塚　それに共感するような政治家がいる中で、ハーラル5世は2016年の在位25周年の式典に、中東系の移民も東欧系の移民も呼んで、いまここに住んでいる人はみんなノルウェー人だと演説するんです。それにみんなが感動し、涙を流した。

佐藤　まさに感情に訴える王室の優位性が発揮された瞬間ですね。

君塚　またオランダは王室が率先してLGBT問題にコミットしていますし、イギリスは昔から王室がチャリティの担い手です。またチャールズ皇太子（現国王）は、もう半世紀以上前から環境問題に取り組んでいる。そうしたことを受けて、王制打倒を掲げ共和制樹立を目指す左派の人たちは、王室の進歩的な姿勢を受け入れざるを得なくなっているのではないかと思います。政府のやっていることよりも王室の方がまともじゃないかと、おそらく左派はそう考えている。

佐藤　日本でも保守色の強い安倍政権に比べて、皇室はリベラルな印象がありました。

君塚　平成時代にいまの上皇上皇后両陛下が、戦没者追悼式出席や被災地を回られてきた30年間の積み重ねがある。また日中・日韓関係でも、「多大な苦難を与えた」とか「痛惜の念」とか配慮ある発言をされていますよね。

佐藤　桓武天皇の生母が百済《くだら》の武寧王の子孫と指摘されたこともありました。

君塚　こうした天皇陛下のスタンスが、共和制論者の勢いを削いでいるように思えます。

佐藤　そこは人効説的な部分、お人柄の要素が大きいですね。ヨーロッパでは、王室が左傾化するきっかけがあったのでしょうか。

君塚　イギリスにはビクトリア女王時代から150年以上に亘るチャリティの伝統があります。だからイギリスは他の国に比べて、そうした団体の総数が一桁多い。いま18人くらいの王族で、だいたい3000団体のパトロンを務めています。

佐藤　それはすごい数ですね。

君塚　名誉総裁や名誉会長としてレセプションに参加し、その会議にも出ている。エリザベス女王は、コロナ禍になってからはZoom会議に参加しています。そこでは政府と別次元の、国民の生の声を聞くことができる。政府はどうしても軍事、外交、通商で忙しいですから、弱者に対するケアがこぼれていく。そこを王室が補っていく形になっているのです。イギリスでヘンリー王子とメーガン妃が強い批判にさらされているのは、そうした役割を放り出して北米に移住してしまったからです。

佐藤　実際にチャリティ団体に参加すると、何が問題になっているか、肌感覚でわかりますからね。

君塚　特に新しい問題が何か、という嗅覚が持てます。最近なら多文化共生や地球環境、LGBTです。そしてイギリス王室が取り組んで成功していることは、ヨーロッパ各国の王室がどんどん取り入れていきます。

皇室は公務が少なすぎる

佐藤　ヨーロッパの王族は、それらに取り組み、非常に忙しい。それに対して、日本の皇室は公務が少なすぎると指摘されていますね。

君塚　16名で88団体の総裁や名誉総裁を務められていますが、これでは少なすぎます。ご多忙なのは天皇皇后両陛下、秋篠宮ご夫妻、高円宮久子妃殿下ぐらいです。だから他の皇族方にも役割を分担していただき、せめて3桁にはしていただきたい。増やしていけば、政府が手の届かない問題にいま以上にコミットできますし、地球規模の全人類的な問題にも関わるようになってきます。その姿を見て、国民はこれまで以上に重要な存在だと受け止めてくれるはずです。

佐藤　それには広報も必要です。

君塚　その通りです。イギリスではダイアナ妃が亡くなった後、王室への支持が低下しました。ダイアナ妃はチャリティ活動などで人気を博しましたが、もともと王室がやってきたことです。それが周知されていなかった。そこで広報活動に力を入れることになりました。

佐藤　ダイアナ妃が事故死したのは1997年ですから、さほど昔の話ではないですね。

君塚　きっかけになったのは、2002年にチャールズ皇太子が出した『Working for Charity』というパンフレットです。その巻末にチャリティ団体の名前が350くらい、ずらりと並んでいたのです。それに国民は驚いた。彼が1976年の海軍引退後からずっと続けてきたことですが、国民のほとんどが知らなかった。

佐藤　最初がチャールズ皇太子だったのは、ダイアナ妃の死で一番ダメージを受けたからですね。

君塚　はい。これが一定の成果を収めたので、毎年作ることになり、アニュアルレポート（年次報告書）を出します。そしてチャールズ皇太子がうまく行ったので、バッキンガム宮殿、つまり英国王室自体でも作ることにした。そうしたら、チャールズ皇太子の10倍近い団体に関わっていることが国民にわかった。

佐藤　大成功したわけですね。

君塚　ええ、その後、ホームページもできましたし、いまはツイッターやインスタグラム、ユーチューブも活用しています。

佐藤　一番人気はやはりウィリアム王子（現皇太子）とキャサリン妃ですか。

君塚　そうです。二人のインスタグラムは１３００万人くらいフォロワーがいます。王室は少し落ちて約１０００万人。チャールズ皇太子はもっと少ない。キャサリン妃やヨーロッパの女性王族はファッションリーダーでもあるので、本人やその子供の着ている服はすぐ売り切れます。そうした数々の波及効果がある。

佐藤　そう見ていくと、日本の皇室は地味ですね。

君塚　いまあるホームページは宮内庁、つまり役所のものです。まずそれを皇室のホームページにしなければならない。海外はどこもロイヤルファミリーのホームページです。それからＳＮＳ。やりたがっている皇族もいると思いますよ。

佐藤　問題は何を発信するかですね。

君塚　改革できないのは、前例がないということもありますが、発信する題材、ネタがないという事情もあると思いますね。

佐藤　だからもっと活動を広げなければならない。

君塚　その通りです。その際、日本の場合は、公務の担い手となる皇族の人数が少ないという問題があります。しかも高齢化が進んでいる。

女系容認か、男系維持か

佐藤　そこには女性宮家や女性天皇、女系天皇などの問題が絡んできます。君塚先生は、（2021年）5月に「安定的な皇位継承のあり方を議論する政府の有識者会議」からヒアリングを受けられましたね。

君塚　そこでは、日本の歴史はもちろん大切ですが、やはり男系男子でやっていくことは難しい、それはヨーロッパの歴史が物語っているという話をしてきました。

佐藤　側室制度のないところで、男系を維持するのは困難ですが、もう作れませんからね。

君塚　大正天皇以来、一夫一婦制でしたし、側室を作れる時代ではありません。ヨーロッパも一夫一婦制でやってきて、男系男子では無理があることは、はっきりしています。あのハプスブルク家でさえも、マリア・テレジア以降は、男系ではなく女系男子になっています。だからまずは女性天皇、そして女系になっていくのは、ヨーロッパの歴史を見ても、生物学的にも、そして何より国民からの理解という点においても、必然の流れだと思います。

佐藤　実は私は男系維持の方に傾いているのですが、なぜかと言えば、このシステムの中に女系が入ってくる理屈が人権の思想だからです。人権の思想を皇室に入れた場合、それが部分で済むのかという問題があります。

君塚　そのご懸念はよくわかります。

佐藤　婚姻の自由があるのだったら、表現の自由はどうか、学問の自由はどうか。さらに言えば政治の自由はどうか、と広がっていきかねない。その時、どうするのか。もともと非合理なシステムですから、どこか部分的にでも合理的なことを入れると、かなり速いスピードで制度が溶解していくと思います。だから非合理なものは非合理なままにしておいたほうがいいと考えているのです。

君塚　よくわかります。そうすると現実的な対処法として、佐藤さんは旧宮家の復帰をお考えですか。

佐藤　いや、そうではないですね。これは非常に無責任な言い方かもしれませんが、明日できることは今日考えない。

君塚　なるほど。

佐藤　ギリギリの状況になったところで、とりあえずは緊急避難的に女帝を認め、女系を容認するのか、男系を維持して旧皇族を宮家に戻すのかを考える。

君塚　この間のヒアリングで、私は有識者の方々に対して確認テストをやってみたかったんですよ。天皇家、秋篠宮家の方々のことは、みなさん、わかるでしょう。でもほかの皇族方がおいくつで、どんな公務を担って、どのような問題に関心があるのか、それをご存知ですか、と聞いてみたかった。

佐藤　答えられないでしょうね。

君塚　とすれば、現在の皇族についてさえ知識がない中で、70年以上前に臣籍降下された方々が急に戻ってこられても、国民がついていけないと思うのです。

佐藤　実は日本は、沖縄以外、血統をさほど重視していないんじゃないかと思います。私は母が沖縄の久米島出身ですが、沖縄はもともと長子相続で、養子は家督を相続できません。イギリスの社会学者アンソニー・スミス流に言えば、血統的ナショナリズムがある。これに対して、他の地域には養子の制度が根づき、その家督も相続できます。沖縄のような血統的ナショナリズムがあれば、天皇制は簡単に溶解しないと思いますが、もともと血統にこだわらない場所なら簡単になくなってしまう。これからどのような選択をするにせよ、大きな賭けになると思いますね。

君塚　そもそも国民の大半は、この問題に興味を持っていないのではないかと思います。それは、皇室が国民から遠すぎるからですよ。

佐藤　話題になるのは、眞子さまと小室圭さんの結婚問題だけですね。

君塚　このままでは祝福された結婚は難しいでしょうし、結婚されて小室さんが皇族の一員になるなら、反対する人が数多く出てくるに違いない。そうすると、皇室への支持が失われ、ますます国民と皇室との距離ができてしまう。

佐藤　でももしも、小室さんが帰国して、愛を貫くとか、持参金はいらない、その代わり結婚式をするためにクラウドファンディングすると言い出したら、簡単に10億円くらい集まってしまうんじゃないかとも思うんですよ。

君塚　そういう可能性もあります。ただこれまでの言動を見る限り、小室さんには皇室や国民に対する敬意や誠意が感じられない。皇室に対する理解と覚悟を欠いたまま婚約してしまっているのです。この点はイギリスのヘンリー王子とメーガン妃に通じるものがあります。

佐藤 小室さんとそのご母堂の登場は、皇室を根本から考え直すきっかけにはなりますね。

君塚 まずは皇室と国民の距離を縮めることが重要です。小室さん問題以前に、眞子さまは日頃何をされているのか。国民はその活動を知り、また皇族の方々は公務を増やして国民との接点を作っていく。それこそがいま、求められていることだと思います。

「禊」のツールとなった「第三者委員会」再考

八田進二

青山学院大学名誉教授

企業や役所などで、不祥事が起きれば設置される「第三者委員会」。有識者や弁護士らが委員に名を連ね、結果も公表されるから、当然、きちんと真相究明がなされているものと思われてきた。だが実際は、それが疑惑追及の隠れ蓑となり、関係者が都合よく身の潔白を証明する道具と化しているという。

はった・しんじ　1949年愛知県生まれ。慶應義塾大学経済学部卒。早稲田大学、慶應義塾大学の大学院に進んだのち青山学院大学で博士号取得。富山女子短期大学、駿河台大学を経て、2001年青山学院大学経営学部教授、05年同大学大学院会計プロフェッション研究科教授。金融庁企業会計審議会委員なども歴任。現在は大原大学院大学教授。八田氏がメンバーの第三者委員会報告書格付け委員会のHPは www.rating-tpcr.net。

佐藤　八田先生が（2020年）4月に上梓された『「第三者委員会」の欺瞞』を非常に面白く拝読いたしました。「第三者委員会報告書格付け委員会」を作って報告書を評価していく、という発想が興味深いですね。

八田　不祥事が起きて第三者委員会が設置されると、どのメディアも「どこまで真相に迫れるか、注目される」式に原稿をまとめますが、それが実際にきちんと評価されることとは滅多にないんですね。実は報告書は玉石混淆で、酷いものもたくさんあるというのが実態です。

佐藤　確かに第三者委員会の報告書を検証するという報道は、あまり見たことがない。

八田　そうした状況ですから、2014年に弁護士の久保利《くぼり》英明《ひであき》氏が中心になって、報告書の格付け委員会ができました。久保利氏が委員長となり、9名で構成されています。内訳は弁護士が5名、ジャーナリスト2名、法科大学院教授1名、そして会計のプロフェッショナルとして、唯一、私が名を連ねています。

佐藤　各人がAからD、Fの5段階評価を行い、Fは不合格と手厳しい。

八田　第三者委員会というやり方が定着し慣行になるなら、やはり信頼しうるもの、社会に求められるものにしていったほうがいいはずです。基本的に社外に公表されますから、公共財として信頼に足るものでなければなりません。

佐藤　この第三者委員会の仕組みは日本独自のものなのですね。

八田　はい。純然たるメイド・イン・ジャパンのスキームです。ルーツは不良債権問題で1997年に自己破産した山一證券の「社内調査委員会」です。簿外債務、すなわち損失隠しの実態究明を目的に、委員長には常務取締役が就き、社内7名、社外2名で構成されていました。その調査報告書の対外公表が前例のない試みだったのです。リスク管理の不在、先送り、隠蔽、責任回避、官との癒着などさまざまな実態を暴き出しました。

佐藤　必ずしも第三者の委員会ではないけれども、それに値する仕事をしたということですね。

八田　はい。十分に社会的意義を認識して調査していた。実はこの委員会に社外弁護士の一人として参加していたのは、私たち格付け委員会の副委員長を務める國廣正氏です。ここで一定の真相究明がなされたので、その後に企業で不祥事が起きると「問題の原因追究などは外部の第三者の手に委ねる」という手法が取られるようになっていきました。

佐藤　当時行われていたバブルの後始末は、自分たちの手に余るものも多かったでしょうからね。

八田　そして第三者委員会が一つのツールとして定着するのは、2011年に発覚したオリンパスの巨額損失隠し事件からです。この時、上場廃止寸前に追い詰められた同社に、東証（東京証券取引所）の意向に即して第三者委員会が発足し、その結果、上場廃止の危機が回避され、外資による買収も防ぎ、会社も再生しました。世界で大きなシェアを持つ内視鏡事業は、第三者委員会に守られたわけです。この時、東証がその仕組みにお墨付きを与えたことが大きい。

ヤメ検のビジネス

佐藤　本書では10の報告書が検証されていますが、年間どのくらいの数の第三者委員会が設置されているのですか。

八田　2019年度だと73件です。これは公表されている企業関係だけの数字で、いじめに関する学校の第三者委員会などを数えると優に100は超えると思います。だから3日に一つ設置されていることになる。

佐藤　それらの多くが真相究明どころか、企業の「禊《みそぎ》」として使われているという指摘は、うなずけるものでした。

八田　第三者委員会に価値を見出したのは、まず企業のトップや経営陣です。不祥事を起こした経営者は連日のように批判の矛先を向けられます。そこでは誰かが何かを答えなければなりません。また手をこまぬいていると、メディアが独自の取材を始めて、隠し通したい事実を探り当ててしまうこともある。そんな時に第三者委員会の設置を発表すれば、状況は一気に変わります。

佐藤　メディアはいったん矛を収める。

八田　その通りで、設置した時点でおとなしくなってしまうのです。

佐藤　そして報告書を待ちます。

八田　第三者委員会を設置して、だいたい2〜3カ月後には報告書が出ます。でもメディアは2〜3カ月も待てないんですね。そのため、報告書が出たころには関心が薄れてしまっていて、記事は小さなものにしかならないし、その検証もしない。

佐藤　その意味では、本書は一つのメディア論でもありますね。

八田　公明正大な第三者委員会が出した結論だから、それをメディアはそのまま受け入れてくれる。そうなれば、企業としては不祥事の幕引きができるわけです。

佐藤　そこには第三者委員会のメンバーへの信頼があるわけですが、ほとんどは弁護士です。八田さんは、弁護士の新しいビジネスだと指摘されていますが、その中でも特に「ヤメ検」（検察官ＯＢの弁護士）のビジネスではないですか。

八田　そうですね。元裁判官もいますが、もっとも好まれて選ばれているのは、ヤメ検です。

佐藤　ヤメ検は、一時期は特捜部の扱う事件などの弁護で重宝されていました。ただ基本的に事実関係を認めて執行猶予を取りにいく戦法です。だから失敗すると実刑になるし、その確率も高く、費用もかかります。それで最近は人権派弁護士に頼むという流れができてきました。こちらは費用が安いし、執行猶予を取れる可能性も高いと私は見ています。

八田　なるほど。

佐藤　だからヤメ検に格好のビジネスが見つかったのだと思いました。

八田　法曹界全体としてもそうで、司法制度改革で２００４年に法科大学院が誕生し、司法試験合格者が大幅に増加します。それで大量の弁護士余りという現象が起きました。そこへ現れた第三者委員会は、弁護士業界にとっては「過払い金返還請求ビジネス」と並ぶ大きなビジネスチャンスでした。いまや第三者委員会専門の事務所もあるようです。

佐藤　ヤメ検が真相究明にあたると、「筋読み」をして、悪いのはこいつと決め、あとはパッチワークでそれに合うデータを集めていく。そんなやり方が多くないですか。

八田　だいたいシナリオは最初にできている感じですね。

佐藤　あの人たちはシナリオライターとして腕が立ちますから。

八田　高校時代の友人にヤメ検がいますが、自分たちは第三者委員会の委員には相応《ふさわ》しくなく、結局は犯人探しをしてしまうと言っています。ただ、第三者委員会は責任追及委員会ではなく、真相究明委員会です。だから弁護士も必要ですが、問題となった分野の専門家が関わるのも大事なことです。

佐藤　そこで八田さんのような会計のプロが入って数字を見ると、問題が違って見えてくるわけですね。

八田　私に声が掛かったのも、格付け委員会に会計の専門家がいなかったからです。私はもともと第三者委員会には懐疑的だったので、最初はお断りしようと思った。でも当時、第三者委員会が設置される案件の多くが不適切会計だったのです。

佐藤　企業なら、最終的にはお金の問題になりますから、会計は最重要です。

八田 そのころまで東証は、巨額の不正があると一発で上場廃止でした。それが、直ちに廃止するのではなく、まずは自助努力によって膿を出させ、監理銘柄にするなどお灸は据えるけれども、再生を待つような流れに変わりつつありました。

佐藤 それは正しい方向性ですね。

八田 ところが自助努力の一つとなる第三者委員会のメンバーのほとんどが法律家で、彼らは会計の理論や基準をほとんど知らない。

佐藤 簿記もできないかもしれないですね。

八田 弁護士資格で税理士登録することは可能ですが、大半は会計を知りませんよ。彼らがかつて行われた会計処理や手続きの正当性、妥当性を判断している。そんなことは無理です。会計には主観的要素もあって、一義的に答えが出ないものがたくさんあるのです。

佐藤 そこがヤメ検の犯人探しとは決定的に違うわけですね。

八田 私が格付け委員会に入る時に念頭にあったのは、日本長期信用銀行と日本債券信用銀行の事件でした。両行とも1998年に破綻しますが、その際、ともに旧経営陣3名が起訴されています。

佐藤　誰かに責任を取らせないと収まりがつかない状況でした。

八田　あれは10年以上も争って、どちらも全員無罪になっています。ともに会計処理の適切性が問われたのですが、当時、金融庁が新しく作った金融検査マニュアルの基準通りにやっていないことが問題になった。でも会計の世界から見ると、いったん採用した会計処理方法は、特に支障がない限り継続適用することに問題はないのです。しかも金融庁のマニュアルは検査官の手続き規定で、一般に認められた企業会計の基準ではない。

佐藤　10年後に無罪になっても、名誉はほとんど回復されません。それどころか、読売新聞の社説では、刑事責任は否定されたが、道義的責任は免れないと書かれていました。

八田　とても不幸な事案です。だから会計上の問題を法律家だけで議論することには限界があります。会計のみならず、第三者委員会はそれぞれ問題となった分野の専門家を入れて組成しなければなりません。

問題だらけの報告書

佐藤　実際に第三者委員会の報告書のくだりを読むと惨憺たる有様ですね。ほとんど及第点に達していない。

八田　経営トップが自分に都合のいいメンバーを入れて、自分だけは免責してもらいたいという発想で作っている面がありますからね。

佐藤　格付け委員会全員が不合格のFをつけたのが、厚生労働省の「特別監察委員会」ですね。賃金や労働時間の動向を示す指標である「毎月勤労統計調査」で、本来とは異なる調査方法が用いられ、データに誤りがあることがわかった。これは国会でもずいぶん追及されました。

八田　この委員会にはまず「独立性」と「中立性」がない。委員長は慶應義塾大学商学部長も務めた樋口美雄氏ですが、厚労省から年間24億円の運営交付金をもらう労働政策研究・研修機構の理事長です。関係者への聞き取りも7割がた同省職員がやっている。もともと厚労省に内部調査チームがあり、それを横滑りさせたためですが、それなら「特別監察委員会」は名義貸しのようなものです。

佐藤　当事者の厚労省ファミリーで作った報告書ということですね。

八田　報告書の書式も官僚独特のものですし、内容も問題だらけです。「法令遵守意識の欠如」と何度か出てきますが、幹部職員までそれを欠いているなら組織の問題です。そこを追及していないし、その事実が伏せられてきたことも「本人が隠したつもりでないから隠蔽とは言えない」と、周囲に確認もせず、その証言をそのまま信じています。

佐藤　朝日新聞の慰安婦報道問題についての第三者委員会は、最低評価のDが3人、不合格のFが5人です。

八田　委員長は弁護士の中込秀樹氏で、他6名は評論家や作家、学者が並びますが、彼らの選定理由が明らかでなく、外部からはその独立性や中立性、専門性がわからない。

佐藤　外交評論家の岡本行夫氏や政治学者の北岡伸一氏、ジャーナリストの田原総一朗氏など錚々たるメンバーでした。

八田　慰安婦問題で虚偽の証言をした吉田清治氏の記事16本の作成経緯と、虚偽の可能性を知りながらなぜ記事を取り消さなかったのかという事実関係、そして朝日新聞の報道姿勢や体質などが調査対象になりました。しかし経営側による報道への干渉は十分に解明されず、焦点の一つだった国際世論に与えた影響については、委員がそれぞれ私見を開陳しただけの研究発表になっています。

佐藤　朝日新聞という頭のとてもいい人たちの集団ですから、他のメディアにいかに叩かれないかを十分計算して作った印象ですね。

八田　そもそも報道の自由を標榜する新聞社であるなら、第三者委員会に頼らず自力で真相究明するべきです。安易に第三者委員会に託したこと自体が問題です。

佐藤 別のやり方もあった。

八田 外国には第三者委員会はありませんから、企業の場合、まずは社外役員が中心になって真相究明に乗り出します。彼らは平時に役に立つことはまずありません。そうではなく、有事にこそ主体的に動き出すべき役割を担っているのです。

情報開示の効果

佐藤 東京五輪招致活動に関わる日本オリンピック委員会（JOC）「調査チーム」の報告書も極めて低い評価でした。最低評価のDが6人、不合格のFが2人です。

八田 この報告書は「疑惑の隠れ蓑」として機能した典型です。東京五輪の招致活動の際、国際陸上競技連盟会長で国際オリンピック委員会（IOC）委員でもあったラミン・ディアク氏の息子が関係する口座に230万ドルを振り込み、贈賄が疑われたケースです。コンサルタント契約と言いますが、相場の2倍の額で、そのお金でどんなロビー活動がなされたかはまったく解明されませんでした。

佐藤 もともとロシアのドーピング問題を調べている際に出てきた話ですよね。ロシアのスポーツ界には強力なマフィアがいます。そことつながっているなら、この背後には恐ろしい闇が広がっています。

八田 報告書でも、関係者に突然連絡が取れなくなったとか、訪ねてみたら転居していたとか、安物のミステリーみたいな話が出てきます。結局、キーパーソンには一度も話が聞けていない。

佐藤 JOC会長だった竹田恆和氏も、実態は知らないのでしょうね。

八田 恐らく知らないでしょう。調査チームのメンバーも問題で、座長は弁護士の早川吉尚氏で、他に弁護士と公認会計士がいますが、オブザーバーとして当時のJOCの常務理事と東京都総務局審理担当部長が入っています。まさにこの問題の当事者です。結局、ここでは何も解明されないまま、IOCで禁じられている贈賄の認識はなく、日本の法律違反もないと報告書は結論づけています。

佐藤 招致活動に違法性はないと言いたいわけですね。

八田 このケースがさらに酷かったのは、報告書を公開しなかったことです。記者会見で一部メディアに配ったものの、JOCのホームページにも載せず、一般公開しませんでした。竹田会長が国会で「調査チームを発足させ、送金の流れを調査する」と言っているにもかかわらず、です。当初、私たちも入手できず、久保利氏がメディア関係者から入手できたことから、格付けすることができたのです。

佐藤　税金を投入して開催する五輪ですから、国民すべてがステークホルダー（利害関係者）のはずです。

八田　そしてフランスの検察が竹田氏を事情聴取したことが明るみに出ると、この報告書を引き合いに出し「日本の法律において契約に違法性はなかった」と釈明しました。まさに報告書を「隠れ蓑」に使ったのです。

佐藤　それぞれを検証すると、第三者委員会を機能させるには何が必要か、見えてきますね。

八田　まずはきちんとした委員を選ぶことです。「第三者性」を考えて選ばなければなりません。私の専門の監査論では、第三者という言葉はキーワードです。独立性、公平性に加えて、専門性、倫理性も含めて第三者性と言います。

佐藤　第三者委員会は、大学が出す紀要に似ていますね。紀要は日本にしかなく、論文が掲載されるには、査読を経なければなりませんが、そこに第三者性はなく、いわばお友達の中で回していますから。

八田　その第三者性とともに大事なことは、情報開示です。報告書の開示はもちろんですが、第三者委員会の大きな問題は、報酬が開示されていないことです。どんな小さな委員会でも1億円近くのコストはかかるようです。事件の規模によっては、数億円から数十億円にもなる。

佐藤　だからビジネスになりうるわけですね。

八田　企業は不祥事で株価の下落などの損害を被った上に、第三者委員会設置のコストを負担するわけです。だからそれをちゃんと開示することで、ステークホルダーの信頼を得る必要があります。依頼主からお金をもらってその依頼主を調べ上げるのは、監査法人による会計監査も同じです。こちらは、有価証券報告書の中の「監査の状況」の項において監査報酬を開示することになっている。

佐藤　確かに時間単価の高い弁護士に加え、資料の読み込みに何人ものスタッフを使うからお金はかかる。ただ報酬は高くても、それ自体はかまわないでしょう。

八田　そうです。問題は開示です。会計を長くやっていて思うのですが、どんな厳しい法律や規則を作るより、開示は強い抑止力になると思っています。

佐藤　ベンサムやJ・S・ミルの言っていたパノプティコン（一望監視システム）によ

る刑務所は、服役囚には看守が見えませんが、常に看守の視線を意識せざるをえない仕組みです。それと同じで常に見られているという意識を作り出すのが、開示の重要なポイントですね。

八田　もっと言うと、開示は民主主義の原点です。国民が正しい判断をしたり意思決定したりする前提として、正しい情報を適宜適切にきちんと公開しないといけない。だからこの第三者委員会が信頼に足るものになるかどうかも、そこに懸かっていると思います。

戸松義晴

全日本仏教会理事長

仏教は「家の宗教」から「個の宗教」へ向かう

仏教はいま、大きな転換点に立っている。過疎化の進んだ地方では寺院が存続できなくなり、居住地近くに墓を移すなど、「墓じまい」も広がりを見せている。一方、都市部では家族葬や直葬といった葬儀の簡素化が止まらない。これから仏教はどうなるのか。新しい時代の信仰のあり方を考える。

とまつ・よしはる　1953年東京都生まれ。浄土宗心光院住職。慶應義塾大学文学部卒。大正大学大学院博士課程仏教学科浄土学コース修了。ハーバード大学大学院神学校に留学し91年神学修士取得。2010～12年、18～20年全日本仏教会事務総長、20年6月～22年6月同理事長。22年9月から世界宗教者平和会議日本委員会理事長。他に浄土宗総合研究所副所長、国際医療福祉大学特任教授も務める。

佐藤　昨年（2020年）11月、長らく廃寺となっていた島根県のお寺が国有化されるというニュースが報じられました。これには仏教各派の連合体である全日本仏教会が大きな役割を果たされたようですね。

戸松　浄土宗金皇寺《こんこうじ》については、全日本仏教会と浄土宗が2年前から文化庁や財務省に働きかけ、ようやく国に引き取られることになりました。人口減と過疎化、そして後継者の不在によって、地域の役割を果たせなくなった寺が数多くあります。いま寺院数は7万5000ほどですが、近く5万ほどに集約されていくとも言われています。ただ機能しなくなるといっても法人格は残ります。

佐藤　解散しない限りは、登記上、生き続けますね。

戸松　宗教法人ですから、収益事業以外の宗教活動は非課税です。さらに「善管注意義務」と言って、善良なる管理者による管理が前提になっているため、調査権など、さまざまな介入が排除されています。

佐藤　だから、そのままにしておくと悪用しようとする人が出てくる。

戸松　はい。悪用しようとすればできてしまう制度です。宗教法人を利用してラブホテルを経営するとか、葬儀社がお寺を買って売上をお布施として計上し脱税するなど、実際に問題になりました。そのため文化庁は予算をつけて、各地で不活動法人対策を行ってきましたが、問題となるのが残余財産なんです。

佐藤　山門や本堂だけでなく、山を持っていたりしますからね。

戸松　財産があると解散しようにも解散できない。「財産」なのに引き取ってくれるところもないのです。金皇寺の場合、浄土宗がまず大田《おおだ》市に寄付したいと相談しましたが、断られました。次に森林組合に相談しました。ここでも断られました。そして県にも相談しましたが、断られました。お堂は朽ちて壊れているし、管理しなければならない山林もありますから、もう不良債権なんですね。

佐藤　東京の真ん中ならすぐに売れるでしょうが、過疎地だと誰も手を出さない。

戸松　宗教法人法の第50条には、どこにも引き取り手がなければ「国庫に帰属する」と書かれています。ただこれまで一例も適用されていなかった。というのは、まず土地を実地測量して面積を確定してください、と求められるからです。それにはすごくお金がかかる。

佐藤　法律には書いてあるけれども、運用時に高いハードルが課せられるわけですね。

戸松　ですから今回、浄土宗と全日本仏教会で協力し合って、具体的な地名、残余財産の詳細なども公開し、ようやく財産の国有化まで漕ぎ着けました。

佐藤　国有化第一号になります。

戸松　現地は水源地に近く、外国人が購入することもできてしまいます。実際に外国から、産業廃棄物を処理したいという名目での引き合いもありましたから、ほっとしています。

檀家制度はもうもたない

佐藤　寺院を巡っては、こうした過疎地の問題だけではなく、葬儀の簡略化やお布施の明示問題、そして墓じまいなど、いま、さまざまな問題に直面しています。

戸松　最大の要因は人口減ですが、もう一つ、価値観の多様化という要素も大きい。IT（情報技術）が行き渡ったことで、個々人が簡単につながれるようになりました。これまでは社会の至る所にピラミッドのようなヒエラルキーがあり、上意下達で物事が進んでいた。それが崩れ、何もかも個々のネットワークで間に合うようになりました。

佐藤　それに伴い、組織のあり方も変わってきた。

戸松　集団で共有してきた原理原則に従って生きるより、自分で情報を得て、自分にとって意味のあるものを選択して暮らすようになった。そうした個々人の意識の変化は、例えば政治なら「アラブの春」を生み出しました。政治や経済、社会に大きな影響を与えていることが、宗教に現れないわけがありません。

佐藤　そうですね。これは仏教に限らない。伝統宗教すべての問題で、その儀式などが問い直されることになります。

戸松　そもそも仏教が葬儀を行うことは、本来の教義からは説明をつけづらいと思うのですよ。お釈迦様がそれを説いているわけではありませんから。

佐藤　檀家制度もそうですね。

戸松　これは江戸時代にできたものです。寺請《てらうけ》制度で地域ごとに檀那寺《だんなでら》の割振りがあり、そこの住民は強制的に檀家として組み込まれることになりました。前提となっているのは、そこに住み続けることですから、流動性が激しい社会になったら、制度として成り立ちません。

佐藤　地方から東京に出てきた人たちには、面倒なものになっていますね。

戸松　そうでしょう。多くの人は檀家制度にネガティブな感情をお持ちだと思います。檀家としての義務がありますし、寺が困ったときには寄付をするのが当然と考えられています。もともと日本では寺と檀家がきちんとした信仰共同体になっていませんから、疎遠になれば煩雑だという思いだけが残る。

佐藤 墓じまいではトラブルも起きています。

戸松 檀家制度のベースにあるのは、先祖代々の墓です。信仰という部分でのつながりが薄い分、お墓を守り、先祖を供養することで、人々は菩提寺とつながってきたわけです。寺の立場に立てば、その墓を移すことは、檀家でなくなることですから、何とかやめさせたい。檀家が少なくなれば、寺の維持管理ができなくなります。

佐藤 寺にとっては金銭面でも切実な問題になる。

戸松 だから墓じまいの際、離檀料として高額なお金を請求するということが起きてくる。ですが、はっきり申し上げて、それはやってはいけない。法律的にも私たちが請求する権利はありません。

佐藤 かといって、離れるに任せるわけにもいかない。

戸松 地域によっては、檀家制度が確固たるものとして残っているところもあります。でも多くの寺は、もう檀家制度は成り立たなくなると感じているはずです。

佐藤 そうなると、寺のあり方が大きく変わってきます。また葬式でも、家族葬や友人葬だったり、通夜、告別式を行わない直葬《ちょくそう》だったり、簡便な形へと変化し始めました。

戸松　そこには高齢化という問題もあります。亡くなった方が高齢だと、もうその関係者がいないわけですね。喪主の方も高齢で、社会的な地位を離れている。そうなると当然、参加者が少なくなり、葬儀は小さくなる。つまり家族だけの葬儀、個々人の葬儀になっていきます。

佐藤　今回のコロナも、葬式の簡素化に拍車をかけていますね。

戸松　まさに「3密」ですから。コロナを口実に、お通夜の会食はやらないし、葬儀にも親戚を呼ばず、近い家族だけで進めている。また法要も不要不急と言えばそう言えるので、1年延ばすということにもなっています。

佐藤　オンラインで葬式をするところも出ています。

戸松　私もリモートで法事をしていますよ。仏教は常に世の中の変化、人々のニーズに合わせて、変わってきた面がありますから、それ自体は悪いことではない。

佐藤　キリスト教なら日曜礼拝をリモートでやるのか、という問題になります。またカトリック教会や正教会の教義だと、聖餐式はパンと葡萄酒をいただいて、それがキリストの血となり肉となるわけですから、リモートではできません。プロテスタントの場合は、教会によって可とするところもあります。

戸松　世の中に合わせていくといっても、私はオンラインでやる法要も法話も、必要に応じて対応するのがいいと思っています。葬儀と同じく法要も仏教の教義の中で位置づけのないものですが、教義との整合性や合理性を超えて「やってよかったね」「これでおじいちゃんは成仏できるよね」と感じてもらうこと、その体感性がとても大切だと思うのです。

佐藤　そこが抜け落ちてしまうと、宗教が形骸化します。私は月に2回、京都の教会に行くようにしています。そこは同志社大学神学部時代の指導教授が牧師を務める教会で、私が逮捕された時も支えてくれたところでした。ただ時間もお金もすごくかかる。しかしその無駄こそが信仰です。

戸松　合理性を超えるということですよね。今回のコロナで、合理性を超えて伝統としてやってきた儀式が途切れてしまいかねない状況にあります。ほとんどの寺は、葬儀と供養する行為に対するお布施によって成り立っています。ですから私たちが積極的に働きかけて守っていく必要がある。ただそれと同時に、これから寺がどういう社会的役割を担っていくか、そこを考えていかねばならないと思っています。

佐藤　戸松さんは浄土宗のお寺の出身ですが、ハーバード大学大学院神学校で学ばれています。どうして留学しようと思ったのですか。

戸松　まず一つは、1970年代にカンボジアのタイ国境近くの難民キャンプを訪ねて、ショックを受けたからです。当時、ポル・ポト政権の粛清から逃げた難民たちがいましたからね。タイもカンボジアも仏教国です。これは放っておけない、と当時の仏教界の団塊の世代の方たちが、スタディ・ツアーのようなものを企画し、それに参加しました。

佐藤　クメール・ルージュの暴挙を見てきたのですね。

戸松　非常にショックを受けました。私は浄土宗ですから、亡くなった人は極楽浄土に行って、仏様になったご先祖さまに再会すると教えられてきました。だから私たちは死んでも心配しなくていいのだと純粋に思っていた。それが仏教を勉強し始めると、中観《ちゅうがん》や唯識《ゆいしき》、真如《しんにょ》といった非常に難しい概念がいろいろ出てきます。では極楽とはいったい何なのか。そう考えるようになった頃の体験でしたから、極楽浄土を仏教学の中で突き詰めたいと思いました。

佐藤　それは興味深いですね。

戸松　それともう一つ、キリスト教はどうしてこんなに社会活動が盛んなのかを知りたかったのです。日本でも教育と医療において、キリスト教が果たしてきた役割は非常に大きい。一方、仏教も智慧と慈悲が根幹にありますが、社会的な実践には繋がっていない。それはなぜなのか。ちょうどその頃、ベトナムの大乗仏教僧侶のティク・ナット・ハンが「エンゲージド・ブッディズム」（社会参加型仏教）を提唱していたのですが、こうした動きを仏教の中できちんと位置づけたかったのです。

佐藤　プロテスタント神学者で宗教社会学者のハーヴィ・コックス教授が活躍していた頃でしょう。

戸松　はい。「ジーザス・アンド・モラル・ライフ」という有名な授業があって、テレビ中継が入るんですよ。真っ暗なところから50人くらいがアカペラで登場して授業が始まる。他にも旧ソ連のゴルバチョフ大統領を呼んで共産主義の中の宗教をどう考えるかとか、南アフリカのマンデラ大統領の弟子を招いてキリスト教の視点から人種差別をどう考えるかなどを、ディベートでやりました。

佐藤　ハーバードの神学校は、キリスト教の神学部というより、宗教学部ですからね。

しかもユニテリアン（イエス・キリストの神性を認めない教派）の影響が非常に強い。

戸松　現地で、ハーバードの神学校で勉強していると言うと、7、8割の人が嫌な顔をしましたね。「あそこで学ぶと神を信じなくなるから気をつけろ」と言われます。

佐藤　外国で学ぶと、日本の宗教は異質に見えるでしょう。

戸松　「公益財団法人日本宗教連盟」という団体がありますね。これは私どもの全日本仏教会、教派神道連合会、日本キリスト教連合会、神社本庁、新日本宗教団体連合会という五つの違う宗教団体で構成されています。定款では「世界平和の確立に貢献」と謳われていますが、これなどは日本特有のあり方です。アメリカでもその他の国でも、キリスト教とイスラム教、仏教などが一緒になって公的な組織を作ることはありません。

佐藤　考えられないでしょうね。

戸松　また文化庁の宗教年鑑の各宗教信者数を合わせると、日本の人口の倍近くになる。

佐藤　それでもだいぶ減りました。

戸松　ええ。2億を超えていたのが、いま1億8100万人くらいです。

佐藤　一人でいくつもの宗教を掛け持ちしている人がいる。他方、大多数の日本人は無宗教と考えている。

戸松　そういう見方もできますが、私は、日本人は一つの強い信仰を持つことができないのだと思います。

佐藤　すると、日本のキリスト教改革・長老派（カルヴァン派）系の人たちや、新宗教の、例えば創価学会の人たちは特別な存在になりますね。

戸松　そうかもしれません。明治以降、キリスト教が社会事業で大きな貢献をしてきましたが、キリスト教人口は増えませんでした。日本人はたぶん江戸時代のキリシタンのように、命を賭してでも信仰を守るということが合わないのだと思います。

佐藤　私もそういう極端な信仰は好きじゃないですね。

「個の宗教」へ

戸松　私はこうした日本独特の風土から、アマゾンに「お坊さん便」が出品されてくるのだと思っています。

佐藤　葬式の値段を表示して、クリックすればお坊さんがやってくる。でも、いまはなくなりましたね。

戸松　ええ。全日本仏教会から葬儀業者に対して申し入れたのは、特に他に比べて影響が大きいアマゾンから取り下げてほしい、ということでした。業者のサイトでは僧侶手配サービスとして値段を表示して今でも続けています。アマゾンではお坊さんが見つからない時、「在庫切れ」と出ていたんですよ。あれは嫌でしたね。

佐藤 業者側が取り下げたのですね。

戸松 そうです。もっともそれ以前から、他の業者や一部の寺でもインターネットで葬儀や法事の定価表を出していましたし、神社では昔から玉串料とか祈禱料の金額の目安がついていました。これは物質主義で市場経済の中心であるアメリカでもありえないことでしょう。

佐藤 牧師や神父の説教に値段をつけることはないですね。対価という形でお金が生じてしまったら、それはもう宗教行為ではないですよ。ただ日本では、金額の明示に違和感がない。

戸松 日本では、宗教が非常に日常的なものだという感覚がある気がします。

佐藤 こうした種々の問題を抱えて、今後、仏教はどうなっていきますか。

戸松 仏教は「家の宗教」から「個の宗教」に移っていくと思います。本来、信仰は一人ひとりが持つものです。寺としては、たとえその人一代限りであっても、その関係性を大事にしていかなくてはならない。そこで人々の生と死にどれだけ寄り添えるかが問われてくると思います。そしてその中でお寺を支えていただくというか、ともに運営していくという意識にならないと寺は存続できない。

佐藤　そうなると、僧侶の力量が試されることになりますね。

戸松　私は若い僧侶たちに、ユヴァル・ノア・ハラリの『サピエンス全史』や『ホモ・デウス』を読むよう勧めています。彼は宗教をはっきりフィクションだと言い切っていますから。

佐藤　神話や伝説、神々や宗教など、虚構がホモ・サピエンスを突き動かしてきた原動力だとしています。

戸松　さらに人類のこれからの姿も予見しています。AIや生命科学が人々の生活の中に入り込み、その恩恵も受ける一方、役に立たない無用者階級も現れると言います。では、その中で宗教はどんな意味を持つのか。これからの時代背景がわからなければ、社会的役割を担えません。だから僧侶の資格を取る際にAIや先端科学を学ぶとか、一度社会に出てから資格を取るとか、そんなこともあった方がいいと思います。

佐藤　中世ヨーロッパではキリスト教神学を修めるのに、教養課程で9年、専門課程で

15年、計24年掛かりました。私も40代半ばになってようやく神学的な発想ができるようになった。ですから学生には、そうなるまで勉強が続けられる仕事に就きなさいとは言っています。

戸松　宗教法人が公益法人たるゆえんが国会で語られたことがあります。平成7年（1995年）の第134回国会です。宗教法人の定義は、宗教法人法第2条にあり「宗教の教義をひろめ、儀式行事を行い、及び信者を教化育成すること」です。答弁では、そうした宗教法人があることで、国民の皆さんの心が安らぎ、それが社会を安定させる。そして文化も向上する、だから公益性があると言っているんですね。

佐藤　所管する文化庁の答弁ですか。

戸松　はい。ですから公益性があるかどうかは国民が決めることになる。もし人が亡くなった時に、葬儀もせずお坊さんも呼ばなくていいとなれば、公益性がないと判断されてもおかしくありません。葬儀も法事も、これまで社会的意味があるから続いてきた。でもそれが時代に合わなくなれば、変わらざるをえません。おそらく寺の将来は、形式的な檀家制度や法要といった部分よりも、仏教の文化的な側面の方が中心になっていくのではないかと思います。仏教信者ではない人たちが拝観料を払って、その寺で何かを感じたり、そこにまた来たいと思ったりする。そこで仏教の精神に触れていくわけです。そうした歴史と伝統は一朝一夕には真似できません。仏教はこれまでも社会の新しい文化を取り入れながら新しい社会的役割を模索してきました。ＡＩや先端科学が発展すればするほど、一人ひとりの思いを受け入れ、悩みや苦しみに寄り添うお寺が社会的意義を見出していける可能性を秘めていると考えています。

清水 洋
早稲田大学商学学術院教授

「野生化」するイノベーションにどう向き合えばいいか

長らく停滞の続く日本経済にあって、どの企業も躍起になって取り組んでいるのが、イノベーションの創出である。それには確実な方法がないものの、起こしやすい環境はわかっている。典型はヒト・モノ・カネの流動性が高い米国社会だ。ただし、それを日本が真似すればいいわけではないという。

しみず・ひろし　1973年神奈川県生まれ。97年中央大学商学部卒。99年一橋大学大学院商学研究科修士課程修了。2002年米ノースウエスタン大学大学院歴史学研究科修士課程修了。07年ロンドン・スクール・オブ・エコノミクスで博士号取得。蘭アイントホーフェン工科大学フェロー、一橋大学イノベーション研究センター教授などを経て、19年より現職。

佐藤　清水先生のご専門はイノベーション研究ですが、今年（2021年）、その分野でもっとも権威ある国際賞の一つ、「シュンペーター賞」を受賞されました。おめでとうございます。

清水　ありがとうございます。

佐藤　シュンペーター賞の受賞は日本人で二人目だそうですね。

清水　はい、スタンフォード大学教授だった故・青木昌彦先生が1998年に受賞されています。自分が加わるのは少し場違いな気もしますが、とても光栄です。

佐藤　いまビジネスの最前線で、イノベーションという言葉を聞かない日はありません。日本の長期停滞の原因は、イノベーションがないことだとされ、どの企業でもイノベーションの重要性を強調します。

清水　その通りです。

佐藤　清水先生の『野生化するイノベーション』を拝読すると、イノベーションにはパターンがあるそうですね。

清水　はい。一定の規則性があります。まずシリコンバレーを思い浮かべてもらえばわかるように、「群生」します。有能な人が集まることで、知識が集積され、次々にイノベーションが起きていく。

佐藤　知識が知識を呼ぶわけですね。

清水　さらにイノベーションは、新たなビジネスチャンスを求めて、自由に移動していきます。

佐藤　ご著作の冒頭では、サミュエル・スレーターという人が登場します。彼こそが産業革命をイギリスからアメリカに持ち込んだ。

清水　スレーターはアークライトの水力紡績機を導入した工場で働いていました。産業革命によって世界の工場となったイギリスでも最新鋭の工場です。当時のイギリスは、自国の競争力を維持するため、繊維産業で働く人の渡航を禁止していました。もちろん機械の輸出や設計図の国外持ち出しは厳禁でした。

佐藤　最先端技術への対応は、今も昔も変わらない。

清水　そこでスレーターは水力紡績機の設計図や工場のレイアウトを丸暗記するんですね。そして農夫を装って、繊維産業の技術者を求めていたアメリカに密航します。

佐藤　そして彼はアメリカ産業革命の父となる。その一方、イギリスでは裏切り者とされた。スレーターは、欧米では有名人ですね。

清水　教科書に載るレベルです。アメリカ繊維産業の創始者ですから。

佐藤　イノベーションは国境も越える。そこはコントロールすることができない。

清水　そもそも飼い慣らすことができません。管理しようとすると、イノベーションはだめになってしまったり、性質が変化したりします。

佐藤　だから清水先生は「野生化」と表現されたわけですね。

清水　その通りです。ただ、ヒト、モノ、カネの流動性を高めることで、イノベーションが起こりやすくなることはわかっています。

佐藤　一般にイノベーションは天才的人物が現れてなすものだと思われがちですが、そうではないのですね。

清水　もちろんアップルを作ったスティーブ・ジョブズやアマゾンのジェフ・ベゾスといった存在は大きい。しかし、イノベーションが個人に帰属するものなら、パターン化はされません。

佐藤　なるほど、その人が出なくても、別の誰かが出てくるのでしょうね。そうすると日本にも打つ手はある。

清水　はい。イノベーションを起こしやすい制度やインセンティブ（動機付け）を整備すればいいのです。

日米半導体レーザー競争

佐藤　イノベーション研究も細分化されていると思いますが、清水先生はどんな研究をされてきたのですか。

清水　イノベーションの中でも、より大きなインパクトを与える技術を、ジェネラル・パーパス・テクノロジー（汎用技術）と言います。例えば蒸気機関です。産業革命が産業革命たりえたのは、蒸気機関が発明され、それがさまざまな領域で使われるようになったからです。最初は炭鉱の中に溜まった水の汲み上げから始まったものですが、動力源として工場や自動車にも広がっていく。

佐藤　蒸気自動車はイギリス人にとって特別なもののようです。外務省に入ってイギリスのビーコンズフィールドにある陸軍語学学校に通っていた時、現地のお祭りで見ました。蒸気機関車みたいですが、タイヤがロードローラーのようになっていた。

清水　蒸気機関のようなジェネラル・パーパス・テクノロジーがどうやって生まれてくるのか、そして社会にどう受容されるのかを、研究してきました。

佐藤　面白そうですね。

清水　現代でそうしたものは何かと考えると、半導体レーザーの技術があるんですね。レーザーはかなり初期の段階から日米で競い合って開発してきました。その比較を通して、ジェネラル・パーパス・テクノロジーがどう開発されていったかを明らかにしたんです。

佐藤　確かに半導体レーザーは、光ファイバー通信や光ディスクなど、いまのデジタル社会を支える基礎技術に使われますし、医療や軍事分野でも極めて重要です。

清水　日米とも、最初はまずマイクロ波の研究なんですね。

佐藤　いわゆる「怪力線《くわいりき》」ですね。第二次世界大戦中に日本も研究していました。「く号作戦」と名付けて、陸軍登戸研究所でマイクロ波の兵器を作ろうとしていた。

清水　私はそこまで追っていないのですが、日米ともマイクロ波研究から始まって、第二次世界大戦後、光レーザー研究になっていきます。それが本格化するのは1960年くらいで、当時は両国の産業組織のあり方がすごく似通っていたんですね。アメリカには研究機関としてベル研究所があり、企業ではIBMがある。一方日本には、後にNTTとなる電電公社の電気通信研究所があり、電電ファミリーのNECがあった。このように、レーザー開発を取り巻く構造が似ていました。

佐藤　研究所と大企業がタッグを組んでいる感じですね。

清水　ええ。それが１９８０年代になると、アメリカで産業構造が変わっていきます。大企業中心からスタートアップ企業を増やしていこうと、方向転換する。

佐藤　どうしてそうした変化が起きたのですか。

清水　背景の一つには、スタートアップが重要だという認識が生まれたことがあります。当時、アメリカの自動車産業が日本に追い越されるようになっていた。それがなぜかを、多くの研究者を集めて研究したんですね。そうすると、イノベーションには冒頭にお話しした パターンがあることがわかってきた。それでイノベーションが起きやすい産業構造に転換しようとするんです。つまり流動性を高める方向に向かった。

佐藤　アメリカもそれまでは流動性の高い社会ではなかった。

清水　60年代、70年代は大企業中心に動いていましたね。そこからアメリカは転換しますが、日本はそのままの形で研究開発を続けます。

佐藤　80年代は、年功序列、終身雇用という日本型のスタイルがすっかり定着していました。

清水　でもそうした流動性の低い日本が、レーザーに関してはどんどん勝っていくんです。なぜかと言えば、例えばアメリカのベル研究所で光通信用のレーザーを研究していた人が、どんどん外に出ていってしまった。そしてスタートアップ企業を作るのですが、それがセンサーや医療の会社だったりするんですね。

佐藤　その技術は、レーザーメスにも使えますからね。

清水　そうです。レーザーにはさまざまな用途があるので、サブマーケットにどんどん技術者が流出していった。一方、日本では独立せず、同じ領域で長く研究していた人ばかりでしたから、技術水準は高くなり、アメリカに勝っていくんです。

佐藤　なるほど、技術も人材も拡散すれば、到達点は低くなる。

清水　「手近な果実」と言いますが、アメリカでは、簡単に利益を得られそうな分野に研究者が出ていってしまった。確かに流動性の高い社会では、イノベーションは起こりやすくなりますが、それと同時に、達成する水準が低くなる傾向があるんです。つまりスタートアップを促進すればイノベーションは次々生み出されるものの、万事ＯＫとなるわけではない。ここが従来の常識と異なる視点で、シュンペーター賞の受賞に繋がったのだと思います。

佐藤　アメリカの真似だけではダメなことがわかったわけですね。

国防予算が支える米国

清水　私がアメリカに留学した2000年くらいは、とにかくシリコンバレーがすごいということで、日本も労働者の流動性を高め、ベンチャーキャピタルの制度整備をして……と、アメリカ型産業構造を目指すのが無条件によしとされていました。

佐藤　いまだって流動性ばかりが強調されています。

清水　イノベーションは、それ自体を生み出す活動と、どこかで起きたイノベーションを自社に取り入れるという活動を分けて考えなければなりません。前者は基礎的な研究開発が必要で、非常に時間がかかる。スタートアップは小さな企業ですから、それはやりにくい。本来は大規模で多角化している大企業のほうが有利です。アメリカの場合、そこを国防総省傘下のDARPA（国防高等研究計画局）が支えているんです。アメリカの研究開発費の48％は国防総省関連です。

佐藤　まさにインターネットがそうですよね。核攻撃下のバックアップシステムとして生まれたわけで。

清水　ええ、GPSもレーザーも集積回路も、現在の大きなビジネスの基盤になっている技術は、すべて国防予算から生まれてきたと言っても過言ではありません。アメリカは国防予算によって基礎研究を行い、そこから生まれた技術を民間が利用して、成長を遂げているのです。

佐藤　日本とは条件が違っている。軍事技術の民間利用ができたのは、米ソ冷戦の終結が大きかったはずです。体制間競争がある中では、先端技術は軍産複合体の機密情報になります。民間が活用できるにしても、オープンにはできませんでした。

清水　そうかもしれませんね。DARPAがその技術に投資したら、どれだけリターンがあるのかを問われ出したのは、冷戦後の90年代からだと思います。その後、ただ軍事力を上げればいいということではなく、経済成長とどう繋がるかが求められるようになった。

佐藤　日本では研究開発の部分を、民間が担っているわけでしょう。

清水　おっしゃる通りです。日本の国が出す研究開発費は全体の20％にも満たない。代わって東レのような会社が長い時間をかけて基礎研究を行い、例えば飛行機の素材にもなる炭素繊維を生み出しました。

佐藤　ただ、それにも限界がありそうですね。清水先生は日米企業の「加齢」の問題も比較されています。

清水　設立からの年数と、「稼ぐ力」であるROA（総資産利益率）を見ると、アメリカでは相関関係がないのですが、日本は加齢によりどんどん利益率が落ちていきます。

佐藤　逆に言うと、アメリカの企業は歳を取らない。

清水　ええ、加齢の影響を受けない。それはアメリカの企業が、大企業であっても大胆な事業転換をしたり、不採算部門を部門ごとリストラしたりしているからです。例えば、1892年に設立されたゼネラル・エレクトリックは、電気事業から家電、航空機のエンジン、発電、ヘルスケア、金融事業などに事業展開しましたが、現在は家電、金融事業などから撤退し、IoT（物のインターネット）分野へと舵を切っています。

佐藤　そういう柔軟さが日本企業にはない。

清水　もちろん事業転換に成功している日本企業もあります。例えば富士フイルムです。フィルムのカメラからデジタルカメラに置き換わる中で、ヘルスケアや化粧品などに事業展開していきました。一方、同じフィルムメーカーだったアメリカのコダック社は、2012年に倒産します。だから富士フイルムはデジタル化の波をうまく乗り切り、コダックは失敗した――一般的には、そう見られているのですが、これはそれほど単純な話でもないのです。

佐藤 どういうことですか。

清水 コダックの優秀な研究者やマネージャーは、早々とコダックを離れて、自らビジネスを展開しているのです。コダックの研究所があったニューヨークのロチェスターには、コダックから派生した企業が数多くあります。例えば、医療用画像システムの世界的なサプライヤーであるケアストリームヘルス社は、2007年にコダックから切り離されたヘルス部門が母体になっています。またスタートアップのトゥルーセンス・イメージングの社長は、コダックの画像センサー部門の部長でした。

佐藤 企業という枠組みを離れると、違って見えるのですね。そのあたりは国民性とか文化に規定されるところが大きいかもしれない。

清水 国民性もあると思いますが、メインは社会制度だと思います。アメリカは看板が古くても中身がどんどん新しくなっていくし、流動性が高いのでスタートアップが多い。一方、日本企業はイノベーションによって代替される人を守り、リストラしてこなかった。イノベーションの新しい技術は、社内に反対する声が強いと入りません。雇用を守ることが社会の公器たる企業の役割だと考えているとすれば、それは国民性なのかもしれません。

仕事を失う人をどうするか

佐藤　国民性や文化制約性は経営においても無視できないでしょう。イスラエルなど、シリコンバレーに行けば年収が億単位になる人も、エルサレムにとどまって年収2000万円で満足している。そうした人はざらにいます。そこは経済合理性とは違う原理で動いている。

清水　それは驚きです。

佐藤　しかもイスラエルのエリート層はバイリンガルで、英語で難なくコミュニケーションできるのに、みんなヘブライ語を使います。

清水　なるほど。つまりその人たちは市場価値が高い人たちですね。英語ができるし、技術があって、どこへ行っても稼げる。そうすると会社にしがみつかなくてもいいはずですが、そこで働く。それは会社や自分の職場が好きだということですから、精神衛生上すごくいいですよね。市場価値が高まれば、自由な価値を追求できるということで、これは日本においても参考になると思います。日本では、自身の市場価値を高めてこなかったところがありますから。

佐藤　人材派遣会社の人に聞いたら、外務省の局長級の人も、転職したら年収３００万円台と言っていましたね。

清水　日本ではもっとみんなが自身の市場価値を高めていく必要があるんです。イノベーションは創造的破壊と言われますが、これまで創造面ばかりを見て破壊面をあまり考えてこなかった。流動性が高まると、どんどん破壊的なイノベーションが出てきて、仕事を失う人たちも出てきます。これもまたイノベーションのパターンの一つです。

佐藤　イノベーションで代替される仕事をしていた人をどうするか、という問題ですね。

清水　新しい技術に仕事が代替されることで生産性は上がりますし、新しい雇用も創出されます。だからイノベーション自体が悪いわけではない。ただ、セーフティネットとセットでなければなりません。

佐藤　産業革命の時には機械を打ち壊すラッダイト運動が起きました。日本も高度成長時代に労働組合が反合理化闘争を展開しています。

清水　経済成長しているうちは、まだよかったんです。イノベーションで代替される人たちを社内で吸収できましたから。でもそれがいまはできなくなっている。

佐藤　それが格差の問題にもつながっている。

清水　日本の大企業のガバナンス構造は2000年代にずいぶん変わりました。それまでは株の持ち合いがあり、銀行ががっちり事業会社の株を握って、安定株主として存在していた。それが崩れて企業は株主のためにROE（株主資本利益率）を上げなくてはならなくなりました。それには不採算部門の整理が必要です。でも人材の流動性が低かったので、その人たちを社内に残し、非正規を入れて安全弁としたんですね。結果として、日本では低スキル人材の流動化だけが起きた。

佐藤　今後、デジタル・トランスフォーメーションで事務作業がすべてデジタル化されると、かなりの数の仕事がなくなります。またGAFA（グーグル、アマゾン、フェイスブック、アップル）型の企業の雇用は、非常に限定的です。彼らのイノベーションが21世紀のモデルになるかというと、「？」がつくと思います。

清水　これからは仕事を失った人へのスキルアップの再教育や社会保障を充実させなければなりません。

佐藤　ただ再教育と言っても、単純労働をしていた人がいきなりプログラマーになれるものではない。

清水　そこが難しいですね。自分のキャリアはリスク分散できません。その点では、女性の社会進出が重要になってくると思います。その人に家庭があって、夫の収入だけで家計を支えていると、すぐに立ちゆかなくなります。でも二人なら何とかなるかもしれない。自身の市場価値を高めるとともに、そうした形でリスクをシェアできるような生き方が必要になってくると思いますね。

國頭英夫

SATOMI臨床研究プロジェクト
代表理事

財政破綻を目前に、
医療をいかに持続可能にするか

よく効くが非常に高額な新薬が次々と開発され、医療費は膨張の一途を辿っている。国民皆保険制度は早晩、立ち行かなくなる可能性が高い。皮肉なことに、医学が進歩すればするほど、寿命が延びれば延びるほど、日本の医療は崩壊へと近づくのだ。この矛盾の中で制度を維持する方策はあるのか。現役医師が動き出した。

くにとう・ひでお　1961年鳥取県生まれ。東京大学医学部卒。横浜市立市民病院、国立がんセンター中央病院、三井記念病院などを経て、日本赤十字社医療センター化学療法科部長。2021年SATOMI臨床研究プロジェクト設立。著書に『医学の勝利が国家を滅ぼす』『「人生百年」という不幸』『死にゆく患者《ひと》と、どう話すか』など。SATOMI臨床研究プロジェクトのウェブサイトは https://s-cp.or.jp。Eメールは contact@s-cp.or.jp。

佐藤　週刊新潮の連載「医の中の蛙」でもお馴染みの里見清一氏こと、國頭英夫先生は、日本で初めて、医療費による財政破綻の問題を公の場で指摘され、その著作などで警鐘を鳴らし続けてこられました。

國頭　2015年の第56回日本肺癌学会のシンポジウムで、おそらくは国内で初めて癌治療のコストを俎上に載せたと思います。当時、非小細胞肺癌に認可されつつあったのが、オプジーボです。

佐藤　一人の患者に年間3500万円かかるというのは衝撃的でした。

國頭　それだけでなく、効果があるかどうかは投与してみないとわからない、やめる時期もわからないという薬でした。ただ効く人には非常に効果があって、有効率が高くなくても、使わないわけにはいかない。

佐藤　オプジーボは、國頭さんの問題提起によって数度の薬価改定が行われ、いまでは当時の4分の1ほどの値段になっています。ですが、これで問題が終わったわけではない。

國頭　最近は多剤の併用で治療することが多くなり、全体のコストはさほど下がっていません。加えて、もっと効いて更に高い新薬が次々に出ています。薬が高くなるのは開発コストが嵩むからで、これは医学の進歩を反映しています。それから人口の高齢化で、病気になる人がどんどん増えてきます。癌が治っても次の癌になるし、そうでなくても介護が必要になってくる。この医学の進歩と高齢化は誰にも止められません。

佐藤 日本の閉鎖的な「医療村」の中で、こうした発言をされてきたのはたいへんなことだと思います。

國頭 気がつくと、すぐ口に出してしまうタイプなんですよ（笑）。タイタニック号に乗っていて、「うわ、そこに氷山がある」と叫んでいるようなものです。だから周りからはうるさいと思われている。

佐藤 医師の世界では、制度的なことは考えなくていい、目の前にいる人の病気を治すのが仕事だ、というのが、主流の倫理観ですよね。

國頭 そうですね。要するにお金の話はしない。金の話は卑しい。

佐藤 実は私は今年（２０２２年）１月から週に3回、透析を受けています。これも年間四百数十万円かかるところ、私の場合は年に12万円です。患者としては非常にありがたいことですが、これ以上の公的負担が各所にあるなら、制度が維持できるのかと思わざるをえないですね。

國頭　透析を基にして、1980年代のアメリカで一人の患者の寿命を1年延ばすのにかけるべきコストの基準値が設定されたそうです。当時はだいたい5万ドルでした。

佐藤　透析については、日本はどんどん診療報酬点数を下げています。昔は800万円くらいの時代もあったようですが、いまは半分ですから。

國頭　透析ができた時も、これが広がれば財政は破綻するという話がありましたが、技術的な進歩があり、コストダウンができた。だから今回も大丈夫という人は多いんですよ。

佐藤　ただ、前提条件が違いますよね。先ほどおっしゃったように、医学の進歩と高齢化は止まらない。

國頭　しかも日本の国民皆保険制度、それから高額療養費制度は「遠慮なく使え」が大原則になっています。

佐藤　高額療養費制度を使えば、年収4000万円以上の最高所得税率45％の人たちも、年間200万円を超えることはないですからね。

國頭　その通りで、日本には高額療養費制度があるから、高額医療保険に入るのはあまりお勧めできないと、よく経済誌の記事に書いてあります。

佐藤　日本の保険に期待されるのは、個室に入ったりするための差額ベッド代ですよ。

國頭　国民皆保険でないアメリカの話を聞くと、カードでも現金でも保険でもいいのですが、まず2000ドルの支払い能力を示せないと、どこも相手にしてくれないらしい。

佐藤　民間保険に入っていない人が入院なんかしたら、家計が立ち行かなくなる。

國頭　家族の誰かが肺癌になると、13分の1の確率でその家庭は破産すると報告されています。

佐藤　だから日本はものすごく恵まれていますよね。ただそれを実感している人が少ない。

國頭　医師のほうでも、私の二つ上で、ある学会の会長までやった先生が「船を造るのも建物を建てるのもコストを考えなくてはいけないが、医者はそれを考えずに仕事ができる。だから、大学に入るときに医学部を選んだ」とおっしゃっていました。正直なお気持ちだと思いますね。

佐藤　つまりコストを意識しなくてすむ制度設計になっている。

國頭　私が研修医の頃、血液内科に行った同級生が、「俺がやっていることはみんな高額医療だぜ」と自慢げに言うんですね。多くのお金をかけた治療をすると、高級なことをやっていると勘違いするらしい。

佐藤　防衛官僚でも何十億、何百億といった装備を扱っていると、「力がある」と思うのと同じですね。

國頭　この「いくらかけてもいいから治してくれ、寿命を延ばしてくれ」という贅沢がいつまで許されるのだろうか、そう危惧します。

佐藤　すでに国家予算の3分の1が社会保障費で、うち3分の1が医療費ですからね。

治療で苦しめて生かす

國頭　それから、いまは病気に対して諦めてはいけないことになっています。例えば、胃ろうや気管切開です。80歳、90歳の認知症の高齢者に「胃ろうをつけますか」と訊くと大抵、「いやだ」と答えますが、「本人はボケているから真に受けないでくれ」と家族がつけさせるんですね。私が教わった大井玄先生は、そういう感覚的な意思決定は大切にすべきだ、とおっしゃっていましたが。

佐藤　それは透析でも同じことがあります。

國頭　また頭がしっかりしていても、家族が寄ってたかって「頑張ってくれ」と繰り返すと、弱っている病人は自分の意思を貫くことがなかなかできません。最後はくたびれて、好きにしてくれ、みたいなことになる。

佐藤 家族はできる限りのことをしておきたいんですよね。

國頭 それでも、ずっと世話をしてきた家族は、ここまで頑張ったからもういいですと言うことが多いですよ。問題は、それまで没交渉だったり、あまり見舞いにも来なかった娘や息子が遠くからやってくると、とにかく頑張れ、と言い張ることです。

佐藤 それは皮膚感覚でわかりますね。

國頭 おそらく自分が面倒を見てこなかったことを後ろめたく感じている。その裏返しで、とにかく命を延ばすことが親孝行で、こんなこともできないのかと医者やナースを怒鳴りつけることが立派な振る舞いだと思うみたいですね。

佐藤 そうした暴言に耐えるのは、医師にとって大変な負担です。

國頭 命を延ばす医療と、苦しみを取る医療が同じ方向ならいいのですが、最期のところで全然違う場合がある。するとだいたい命を延ばす方が優先されてしまう。

佐藤 國頭先生は、患者の意思についても、非常に不確かなものであることを指摘しておられます。

國頭 もちろん「本人の意思の尊重」が大前提ですが、その意思はコロコロ変わるんですね。

佐藤 それは心理学の入口を少し齧ればわかることですよね。

國頭 実験で、ある医学的処置をやるかやらないかでアンケートを取り、1年後にもう一度聞いてみると、約4分の1が意思を変えていた。しかもその人たちの大多数は、もともと自分はそういう考えだったと思っていた。

佐藤 意思変更したことに気がついていない。

國頭 ええ、自分は一貫していると思っている。

佐藤 医療現場ではそこに家族が口を挟んでくるから、さらに混乱する。

國頭 それで結局、苦しみたくない高齢者を、治療で無理矢理生かすのが現代医療になっている。医療費や介護の負担で家族も道連れになってしまう。この背景には、生きることは患者の権利というより義務で、死ぬのは医学の敗北、もしくは医療の失敗だという思い込みがあります。

佐藤 文化的な問題もあると思いますね。オランダやスイスで安楽死が受け入れられているのは、その地で多数派だったプロテスタントのカルヴァン派の影響があるから、というのが私の仮説です。カルヴァン派では、生まれる前からその人間が預かった命が決まっている。だからそれを人為的に延ばすのは神の意思に反する。つまり胃ろうのように自分で食べられなくなったら、そこまでだと考えるのです。

國頭 夫婦で医師をされている宮本顕二、礼子先生が『欧米に寝たきり老人はいない』という本を書いておられます。あちらでは、寝たきりになったらもう寿命と考えて、延命治療をしないらしい。

佐藤 そもそもキリスト教は、死ぬと肉体も魂もいったん滅んで終末の日に甦るという教えですから、その意味では、死は怖くないはずなんですよ。

國頭 ただ医者にとって、癌告知をするとか、治療法が尽きたことを伝えるのは非常に難しい仕事ですが。

延命治療の年齢制限を

佐藤 國頭先生は、延命治療の年齢制限といった大胆な提言もされていますね。いわゆる後期高齢者である75歳以上は中止すべきであると。

國頭 何度か書いていますが、ペンシルベニア大学のエマヌエル先生が「75歳になれば、人生やるべきことをやっていて、それ以上のことは望めない。苦痛は取ってほしいが、延命は望まない」とおっしゃっています。私も同感で、75歳を一つの目安にしていいのではないかと思います。それ以上は延命治療を制限し、苦痛緩和を充実させる。それに医療資源は有限で、どこかで優先順位を決め、トリアージ（選別）する必要が出てきます。

佐藤　それはコロナ禍でもさんざん問題になりました。

國頭　超高齢者に人工呼吸器をつけるかどうかでも議論がありましたが、実際の現場ではトリアージは行われていました。デルタ株の肺炎で人がバタバタ死んでいた第5波の時、人工呼吸器のあるＩＣＵ（集中治療室）は重症者で埋まっていた。そこへまた人工呼吸器をつけないと死にそうな重症患者が救急車を呼ぶと――。

佐藤　受け入れ先がない。

國頭　片っ端から救急センターに電話しても、どこも受け入れてくれない。もう一度電話して、また全部から断られる。次に何をするかと言えば、本当は重症でも中等症にして、「酸素吸入と点滴だけしてくれ」と頼む。それなら空きがあるからと、受け入れてくれるのですが、病院は、悪化して人工呼吸器が必要になってもつけられない、それでもいい、という一筆をとってから入院させるんです。

佐藤　ギリギリの選択ですね。

國頭　本当に必要になった時、その間に重症者が回復したり亡くなったりして、人工呼吸器が空いていることもありますが、私の教え子で感染病棟にいたナースによれば、50代60代で結局人工呼吸器がつけられずに亡くなった人が3人いたそうです。

佐藤　早く来た人は治療できるけれど、後から来た人はできない。

國頭　つまり先着順のトリアージです。実はこのやり方は倫理的な問題も多く、かつ助かる人の数を減らしてしまう結果になるとも指摘されています。そっちはOKで、なぜ30歳の人を80歳の人より優先させることが許されないのかがわからない。

佐藤　何もしなければ、多くのことが先着順になります。

國頭　救急医療の多くを高齢者が占めるようになっていますから、他の病気や怪我でも子供や現役世代が弾き出される可能性は高い。もちろん高齢者でも末期癌の患者でも命の尊さに変わりはありません。ただ、それによって若い患者が次々と亡くなっても「命は平等」と言えるかどうか。私は、年寄りから順番に死んでいく社会が最も健全だと思っています。トリアージするなら、年齢は最も公平かつわかりやすい指標です。

薬を減らす研究

佐藤　國頭先生はこうした状況の中で、いまの制度を少しでも長く維持すべく、研究組織を作られたそうですね。

國頭　「SATOMI臨床研究プロジェクト」と言います。医学が進歩して、これまで治らなかった病気が治るようになりました。その8〜9割は新薬のおかげです。それを作り出す製薬会社は、儲けるために開発します。一方、そこには非常に大きなコストがかかっている。

佐藤　それは資本主義社会である以上、やむを得ませんね。

國頭　実は日本は薬価については、かなり抑えているほうなんです。

佐藤　そうなのですか。

國頭　財務省も厚労省も薬価を絞ろうと努力して、これ以上絞れないところまで来ている。それなら使う方が無駄なく使うとか、大事にケチケチ使うとか、そういう方向しかない。

佐藤　意識の転換が必要になる。

國頭　それで薬剤の投与量や投薬期間を再検討する研究をしようと考えました。これは私独自のアイデアでなく、欧米ではもう始まっています。例えば、前立腺癌に対するアビラテロンというよく効く薬は、内服時の工夫で1000ミリグラムの投与量を250ミリグラムにしても同じ効果がある、といった研究結果や、ダサチニブという慢性骨髄性白血病の特効薬は、量を半分にしても効果が保てるという報告があります。私も高額の肺癌の薬で、高齢者には3分の1で同様の効果が出るという研究をしてきました。

佐藤　製薬会社の指示する量より少なくても効果があるのですね。

國頭　それが絶対ではない。ただ、どのくらいをいつまで使うべきか、に関するデータはあまりないんですよ。

佐藤　あっても製薬会社は出してこないでしょうね。

國頭　以前は製薬会社にも協力してくれる方がいましたが、いまは「うちにどういうメリットがあるんですか」で終わってしまう。研究するなら、「高齢者なら半分でもいい」というのでなく、「高齢者に目一杯投与しても安全だ」というものをやりたがる。すると、医者もメーカーの意向を忖度して、そっちへなびく。

佐藤　当然でしょうね。成果主義の中で、あえて売上を減らす研究を提案する人はいません。

國頭 だったらこれは自分でやるしかない。治療効果の向上には寄与できませんが、同等の効果を維持できる量や期間がわかれば、コストが削減できますし、副作用も減らせるでしょう。それなら医療全体へのメリットは大きい。

佐藤 非常に重要な研究です。

國頭 それから「治った患者さんはその後どうなるか」という追跡調査も行います。例えば小児癌は、高率で治りますが、子供は放射線や抗癌剤など身体に長期的な影響を与える治療を受けます。それにより発達がどうなるか、成人した時に不妊にならないか、二次癌など他の病気にならないかなどが問題になります。

佐藤 それはかなり長期間にわたる調査が必要になりますね。

國頭 成人の肺癌でも同様の調査をします。肺癌は予後不良の難治癌でしたが、私たちが最近まとめた研究では、リンパ節転移がない段階で、手術と術後治療で5年生存率90%という高い成績が得られました。ただそれでちゃんと生活ができているのか、また「5年」以降はどうなっているのかを調査する。

佐藤 具体的にはどのようにデータを収集するのですか。

國頭　広く寄付を募って資金を集め、それを国立がん研究センターと、その中にあるJCOG（日本臨床腫瘍研究グループ）などに業務委託の形で提供して研究をやっていきます。

佐藤　同じ医師からの反応はいかがですか。

國頭　無駄を減らそうという研究は、やっぱり評判が良くない（笑）。じゃあ、自分たちは無駄をしているのか、となるわけですからね。自分の専門領域の癌から始めようとすると、高血圧や糖尿病の薬のほうがよほど無駄が多いじゃないかと、よく言われます。まあ、そこは私にはよくわからないけど、だから俺たちも無駄遣いしていいという理屈は出てこない。

佐藤　まずは癌の薬からということですね。

國頭　それからもう一つ、仲間が気にしているのは、患者さんからどう思われるか、です。医療を削ったり、薬を出すまいとしているように思われないか、と心配になる。

佐藤　そこは患者との人間関係に依拠する部分が大きいんじゃないですか。病院に頻繁に通っていて、医師との信頼関係は非常に重要だと痛感しているところです。

國頭　二宮尊徳が「道徳なき経済は犯罪であり、経済なき道徳は寝言である」と言っているそうです。「道徳」を作っていくには、まずきちんとデータを出す必要がある。こういう研究は医学の進歩には寄与しなくても、持続可能性を保つ意味があります。これからもコストを度外視して命を延ばす「高度化」だけを追求するのか、あるいは次の世代に引き継げる「持続可能なシステム」にするのか、いまその選択を迫られています。

佐藤　お話をうかがっていて、「公民」という言葉を思い出しました。専門家であると同時に社会を構成する一人として、その構造変革に切り込んでおられる。このプロジェクトは資本主義の論理と財政危機と、そして患者の幸福という難しい連立方程式の一つの解なのですね。

國頭　もしかすると国民皆保険制度や国家財政の破綻はもう避けられないかもしれない。それでも我々は自分に「できる」ことをやって時間稼ぎをし、少しでも破滅を先延ばしにしなければならないと思っています。

五木寛之

作家

「老大国」日本が目指すは「成長」でなく「成熟」

コロナを機に、60年近く続けた「夜型」生活が「昼型」に変わったという五木寛之氏。またも感染が広がって会合・会食は制限され、人と人のリアルな交流が忌避される中、我々はどこに軸を定めて生きていけばいいのか。戦後の混乱期に北朝鮮から引き揚げた作家の「転換期を生き抜くヒント」。

いつき・ひろゆき　1932年福岡県生まれ。教師だった両親の赴任先、北朝鮮で終戦を迎えるが母は死去。47年に引き揚げ。早稲田大学文学部ロシア文学科に学び、66年「さらばモスクワ愚連隊」でデビュー。67年「蒼ざめた馬を見よ」で直木賞、76年『青春の門』で吉川英治文学賞。他に『戒厳令の夜』『親鸞』『大河の一滴』『他力』『私の親鸞』『うらやましいボケかた』など著書多数。

五木　お久しぶりですね。二人で一緒に『異端の人間学』を作ったのは何年前でしたか。

佐藤　２０１５年に出ましたから、7年ほど前です。五木先生は89歳になられてもますますお元気で、連載を何本も抱えていらっしゃいますね。

五木　まあ、なんとか。最近は何となくモノが飲み込みにくくはなりましたけど。佐藤さんはいかがですか。

佐藤　私の方は、この間、琉球新報のコラムに書いたのですが、腎臓がかなり悪くなっておりまして、透析か腎移植を考えなくてはいけない状態です。そこで妻が腎臓を一つくれるということになり、腎移植の準備のために検査していたら、前立腺がんが見つかったんです。

五木　え、そうなんですか。

佐藤　医師の出した移植の条件は、「心臓が移植手術に耐えられること」と「がんがないこと」でした。これから転移の可能性も含めて再検査し、どう治療するのか、決めていくところです。

五木　佐藤さんは「禍《わざわい》転じて福となす」人だからね。東京拘置所に収監された時も、そうだったでしょう。拘置所を大学にしてしまった。

佐藤　ええ、あそこで思う存分読書し、勉強しました。

五木　普通の人にはマイナスとなるところを、全部プラスにしちゃうから、きっとうまくやれますよ。

佐藤　こうなると自分の持ち時間が限られてきますから、頭が研ぎ澄まされるし、何をやるべきか優先順位を真剣に考えるようになりますね。

五木　私が小説を書く仕事を始めたのは、35歳くらいからです。でも佐藤さんは、その作品名じゃないけど、『十五の夏』から文学をやってこられた。だから持ち時間はずいぶん使っているから（笑）。

佐藤　外交官になって、逮捕されて、とずいぶん回り道をしましたけども。高校時代の文芸部には十数人いて、みな職業作家志望でした。でも私は物書きにはなれっこないから、読むことを専門にしようと思っていた。そうしたら他の部員は、銀行員や会社員になって、いま私だけが物を書いている。

五木　このコーナーはずっと拝読していますが、日本の中核にいる人たちが次々に登場していますね。「頂上対決」というタイトルですし、お声掛けいただいた時、私で大丈夫か、と思った（笑）。基本的に「大事を論ぜず、小事を述べる」のが小説家ですし、

10年ほど前には『下山の思想』という本も書いている人間ですから。

佐藤　頂上にいたら、常に下りることを考えなければなりません。ですから、このコーナーでも五木さんのお話が必要なんです。

五木　あの本を出した時は、ずいぶんと叱られたな。これからまだまだ頑張らなきゃいけない時に、不景気なことを言うな、と。でも頂上に行ったとしても、いつまでもそこにいるわけにはいかない。

佐藤　その通りです。

五木　頂上からゆっくり下りる時期に差し掛かっていることとは、ちっとも悲しむべきことじゃない。大英帝国も無敵艦隊のスペインも、あるいはポルトガルも、かつては世界を制したような国じゃないですか。それがゆっくりと成熟していって、現在の国になっている。

佐藤　さらに遡れば、ローマ帝国だってそうです。

五木　ええ。よく「成長」という言葉を使うでしょう。でも目指すべきは「成長」ではなくて「成熟」じゃないのかと思う。

佐藤　生まれた時からインターネットがあった20〜30代の「Z世代」と呼ばれる人たち

は、みんな競争に飽き飽きしています。まさに「下山の思想」で生きていると思います。

五木 中国でも「寝そべり族」という人たちが出てきたようですね。頑張って働いても立派なマンションを買って暮らすことができないから、努力せずゴロ寝しちゃう。

佐藤 中国は日本より遥かに苛酷な競争社会です。そこには参加せず、必要最低限の生活ができればいい、と考える人たちが出てくるのは当然です。

五木 僕はそのニュースを聞いて『オブローモフ』を思い出しました。19世紀のロシアに「オブローモフ主義」が広がったことがありましたね。

佐藤 イワン・ゴンチャロフの小説ですね。その主人公オブローモフは無為徒食の貴族で、その名は無用者、余計者の代名詞となりました。確かに小説の中のオブローモフは、ほとんどベッドの中にいて、歩くこともしない。それでブツブツ言っている。

五木 日本の「親ガチャ」という言葉にも、頑張ってもしょうがないという諦めに似た感じが漂っている気がするなあ。

佐藤 時代に呼応して、こうした人たちは繰り返し現れるのかもしれません。経済的には恵まれていますが、昔の「高等遊民」もその系譜かもしれない。夏目漱石の小説に登場するのは、人生から降りたり降ろされてしまった人ばかりです。ど真ん中を走っている人がいない。実人生ではど真ん中を走っているはずの森鷗外も、人生諦めが肝心、みたいな小説が多い。あの頃の文豪は、降りる心情を持っていた。いままた、そうした心情が共有される時代になってきた気もします。そこに新型コロナが現れたのは、何か意味のあることかもしれない。

夜型から昼型へ

五木 週刊新潮の連載にも書きましたが、私は新型コロナが蔓延し始めてまもなく、夜型の生活から昼型の生活に変わってしまったんです。

佐藤 以前は朝に寝ていらしたそうですね。

五木 朝日を浴びないとビタミンDが生成されないからダメだよ、と言われていたのですが、「いやいや、朝日を浴びてから寝ているから大丈夫」と突っ張っていたのが、いまは毎朝7時くらいに起きて、夜は12時に寝ている。

佐藤 何かきっかけがあったのですか。

五木 いや、さっぱりわからない。健康な作家になろうと何度か努力したこともあったんです（笑）。でもことごとく挫折しました。それが今度は努力もせずに変わった。これはもう「他力《たりき》」としか言いようがないですね。自分というものを超えた転換期の大きな力に体が反応したのかな、と思っているんですけれども。

佐藤 昔は、夜は特別な時間でした。

五木 私は深夜族と称して、もう60年くらい夜中心の生活を送ってきたんです。戦後はみんな、椎名麟三の『深夜の酒宴』なんかを愛読してね。1960年代、70年代の新宿の夜は、ほんとうに特別でした。私は、渋谷のジァン・ジァンという、教会の地下にある小さなスペースで「論楽会」という催しをやっていたんです。詩人、俳優、学者、作家など、さまざまなジャンルの人を呼んで、音楽や講演、パフォーマンスを一緒くたにやる。午前零時からスタートして、朝一番の電車の時間に終わる。

佐藤 面白かったでしょうね。

五木 街に出れば、あっちに唐十郎、こっちには大島渚がいる。そして浅川マキが夜中じゅう歌っていた。

佐藤 そういう文化的な空間は、すっかりなくなりました。

五木 朝型の生活になって、書くものが変わってきたかなと思って、人に聞いてみたんですが、これがどうも変わってはいないらしいんですね。

佐藤　私も文章を読むだけでは、気がつきませんでした。きっと時間とは関係がないんですね。

五木　ミネルヴァの梟《ふくろう》はたそがれに飛ぶばかりじゃない、ってことかな。佐藤さんの生活リズムはどうですか。

佐藤　最近は超早寝早起きで、だいたい夜10時くらいに寝て、午前2時、3時に起きて仕事をしています。それから、だいたい午前中いっぱい書きます。疲れてくると、少し回り道をして結論に持っていくべきなのに、ストレートに結論に繋げてしまおうとするんですね。そうなったら、そこで止める。

五木　そこには夜の時間も入っているけれど、佐藤さんを見ると、昼間に仕事をした方が生産力は上がる、ということでしょうか。

非僧非俗と中間小説

五木　しかし、佐藤さんの活躍ぶりを見ていると、新しいタイプのインテリゲンチャが生まれてきたという感じがしてならない。「非僧非俗」という言葉があるでしょう。親鸞が越後に流された時、僧に非ず、俗に非ず、と宣言しました。佐藤さんは、アカデミズムに非ず、ポピュリズムに非ず、ですね。大学であれだけ神学を勉強し、いまに至るまで研究を続けていてもアカデミズムには埋没しない。かといって、ポピュリズムに流されるわけでもない。非アカ非ポプ（笑）。

佐藤　それは大部数を売るポピュラーな作家になれないだけですよ。他方、アカデミズムの世界は怖いところで、自由な活動ができなくなるところがありますから、そこに身を置くわけにもいかない。

五木　佐藤さんは、5000円以上もする本格的な本から1000円足らずの新書まで、無数に世に送っている。こういう形で多産の活動を続けてきた文化人はいなかったと思う。

佐藤　「非僧非俗」は、かつて五木先生の作品が「中間小説」と言われ始めたことに通じるところがありますね。

五木　純文学に非ず、大衆文芸に非ず。中間小説というのは曖昧なものですが、純文学と大衆文芸の中間でも、それぞれが半々入っているということでもないんです。

佐藤　「エンターテインメント」という言葉をメディアの中で通用させたのも五木先生でした。中間小説は面白くなくてはならない。

五木　中間小説がそうであるように、非僧非俗もその中間ではないと思うんです。人間は、聖と俗に分かれると思っているけど、その下には「非」というものがある。

佐藤　被差別民を意味する言葉ですね。

五木　そう、インドなら不可触賤民、アンタッチャブルです。いまの親鸞学は非僧非俗をどちらでもない中間だと解釈します。でも「禿《かぶろ》」という言葉があって、頭が禿げているという意味もありますが、平安期は少年の髪型のことも言いました。「禿頭《かぶろあたま》」と言えばザンバラ髪のことで、大人になると結い上げて髻《もとどり》にする。でも大人になってもザンバラ髪を強要された非人と呼ばれた人たちがいて、彼らを「禿」と言います。親鸞の非僧非俗は、「禿」が念頭にあって「僧でも俗でもなく、非に属する」ことじゃないかと専門家に提言したんですが、一笑に付されました（笑）。

佐藤　下ではなく、「外側」ということかも知れない。

五木　その通りで、「アウト」ですね。階級や既成の分け方の外にいるのは大事なことだと思うのです。

書くより語ることへ

佐藤　五木先生はまさに、その「外側」から社会を見てこられましたが、このコロナ禍での変化を、どう捉えていらっしゃいますか。

五木　この間、有楽町の三省堂書店に行ったら、七つくらい並んでいるレジの大部分が、完全に自動化されていたんですね。自分で本の裏側のバーコードを読み込ませ、お金を入れる。

佐藤　コンビニでもそうなっていますね。

五木　昔は、レジで女性店員さんから「カバーかけますか」と言われて、「この本は何とかだから」とか言って、ちょっとした会話がありました（笑）。もうそんなやりとりはできないのか、としみじみ思いましたね。身近なところで感じる変化は、大きな変化の前触れみたいなものです。こうして人間不在の風景がどんどん広がっていく。

佐藤　そうなると、逆にリアルに人と会う価値が高まってくる。

五木　そういう面もあるでしょうが、一方で出版社は、別に著者と会わなくても本は作れるとはっきりわかったでしょう。もう作家と一緒に飲むのは、無駄な編集費だと考えているのだと思うんですよ（笑）。

佐藤　私は、そもそも顔を知らない担当編集者がたくさんいますよ。

五木　佐藤さんは仕事の幅が広いし、多作だから。もっともいまはマスクをしていますから、人を紹介されて挨拶しても、次に会う時にわからないということが多々ありますね。

佐藤　こうした時代は、本来なら宗教の出番です。

五木　その通り。いまの様子は、平安末期から鎌倉期に非常によく似ています。あの頃、日本中で干魃《かんばつ》が起こり、農村は荒廃し、都では疫病が大流行して、地震も津波もあった。それで鎌倉新仏教の時代が来たわけですが、でもいまはどこからも宗教家の声が聞こえてこない。コロナで多くのお寺も教会も門戸を閉ざしましたよね。

佐藤　キリスト教では、プロテスタントは門を閉ざしましたが、カトリック教会とロシア正教会は開けています。これは教義上の理由があって、聖餐式、聖体拝領、ミサと呼ばれるものはリモートではできない。カトリックと正教では、司祭の祈りによって目の前でパンと葡萄酒が「実体変化」して、キリストの肉となり血となります。だからその現場にいて食べないといけない。一方、プロテスタントではただのシンボルですから、家へ買ってきたパンとワインでいいんです。

五木　なるほど。でも宗教にはやっぱり「肉体性」が必要なんだな。

佐藤　だから宗教としてカトリックや正教、それからイスラム教は強い。プロテスタントや仏教は近代化してしまっています。

五木　私は書くことが本職ですが、じつは書くことより、語る方がもっと大切だと思っているんですね。法然の『選択《せんちゃく》本願念仏集』は古典中の古典ですが、これは彼が語って弟子たち何人かに筆記させたものです。

佐藤　トマス・アクィナスの『神学大全』も口述です。

五木　仏陀という人が何をやったのか考えてみると、問答と説法なんですよ。つまり対談と講演をして一生を過ごした。仏典はみな弟子がまとめたもので、仏陀は一冊の本も一行の文章も書いていない。

佐藤　それはイエスも同じですね。

五木　そう、イエスもソクラテスもみんなそう。大事なことは、声に出して語られる。そして問答をすることです。自分で書いたものはどうしても修飾するし、自分の本音さえ飾ってしまうけれども、相手がいるとそうはいかない。

佐藤　文学でもドストエフスキーの『賭博者』はほとんど口述です。

五木　そう考えると、つくづく語ることの大事さを感じますね。これまで多くの対談をやってきましたが、残された時間も多くの人たちと語りたいんですよ。でもコロナがそれを阻害する。人と会うことを避けなきゃいけないわけだから。

佐藤　五木先生は、こうした状況にあっては「究極のマイナス思考」から始めるしかないと、書かれていましたね。

五木　私は昔から「やっぱり人生はすばらしい」なんて考えは持っていないんです。「善き者は逝く」という言葉がありますが、誠実な人たちは先に逝ってしまい、しぶとい人間だけが生き残る。人間の世界は矛盾だらけで、努力したって報われないことが山ほどあります。それを覚悟した上で努力すれば、落ち込まずにすむのかも。

佐藤　そこは五木先生の世界観の核心ですね。

五木　コロナの前に『マサカの時代』という本を出しましたが、ほんとうにいまは「マサカ」の連続です。もう何事も予測ができなくなっている。ただ、日本が老大国になっていることは確かです。人口の中央値は、アフリカのナミビアなら18・4歳ですが、日本は36・7歳です。この先百年ぐらいは、若返ることはあり得ない。だからこれから立派な成熟をどう遂げていくかですよ。これがコロナ以後に試されるのだと思いますね。

おわりに

本書は対談形式で、とくに難解な箇所もないと思う。ここでは、屋上屋を架すようなことは書かずに、本書で語られた二つの論点のいくつかを深めることにしたい。

第一の論点は、中谷巌氏から教えられたことであるが、近代以降の啓蒙的理性の限界を知ることの重要性だ。

佐藤　日本の人口動態も、団塊ジュニアくらいまでは予測できても、その次の子供たちがこんなに減るとは思わなかった。

中谷　人間が頭の中で合理的に考え、設計して構築すれば、歴史を作っていけると錯覚しているのです。しかし社会はそういうものではない。

佐藤　だから人類にとって、旧約聖書のバベルの塔の話は非常に大きいですね。人間が何かを構築していこうとすると、どこかで崩れてしまう。

中谷　フリードリヒ・ハイエクではないけれど、設計主義は必ず失敗する、ですよ。

佐藤　マーケット信奉者は、設計主義が壊れているのに、設計主義で対応しようということでしょう。そこに気がついていない。こうした傾向は、いわゆるリベラルや左派でも非常に強いですね。

中谷　左派は、基本的に何でも計画通りにできると思っています。設計主義の権化と言えますね。

佐藤　やはりさまざまな制度は、人間の生活の中で、試行錯誤して作り上げてきたものと考えるしかない。だから伝統は重要です。ただ、右派でも立派な教育基本法を作れば背筋の通った日本人ができると考えたら、これは設計主義です。

中谷　人間の頭脳で考える世界の外に何かがある、という謙虚な姿勢でいかないと大きな失敗を招くと思いますね。（本書77〜78頁）

合理的予測が外れた最近の事例はウクライナ戦争だ。二つの意味で合理的予測が外れた。第一は、軍事力で圧倒的に優勢だったロシアにウクライナが持ちこたえているということだ。もっともこれは米国を中心とする西側連合（そこには日本も含まれる）が、ロシアの国防予算をはるかに超える支援をウクライナに対して行っているからだ。この支援が途絶えれば、ウクライナは継戦能力を失う。第二は、西側連合による本格的な経済制裁にもかかわらずロシアが経済的に持ちこたえていることだ。GDP（国内総生産）で測られるような指標が、国力を正確に反映していないのである。農産物、石油、天然ガス、兵器生産などの実体経済に裏付けられているロシアの国力を西側連合は過小評価していた。人間の社会の不確実性に対する感覚を研ぎ澄ます必要がある。

第二の論点は、国費を用いて未来の指導層（言葉の正しい意味でのエリート）を要請する必要性だ。河合雅司氏は国費学生制度を設けるべきであると主張する。

河合　私は「国費学生」を作るべきだと考えています。国家として重点を置く分野を決めて、それに関連する学部や学科の試験に受かれば、学費も下宿費も国家人材として面倒を見る仕組みを作る。（98頁）

筆者が学んだキリスト教神学のような学問は国策と直接結び付かないので国費学生に

は馴染まない。しかし、同志社大学や日本基督教団（同志社大学神学部は総合大学の一学部であると同時に日本基督教団の第一種認可神学校でもある）が、日本社会並びに世界に貢献する人材として学費も下宿費も、さらに神学書は値段が高いので書籍代を負担するような奨学生制度を作ってもいいと思う。同志社大学神学部出身で仕組みが整えば、後輩の神学生のために寄付をする人も少なからずいる。

柳沢幸雄氏は、現代の遣唐使制度を提唱する。

柳沢 だから私は自民党の教育改革本部に、現代の遣唐使を作りましょうと提案したんです。高校生1000人に毎年奨学金をつけて外国に出す。一人350万なら4年で1400万円。その1000人分で140億円の原資が必要です。どこを削るかと言えば、大学の運営費ですね。

佐藤 それはいい考えです。

柳沢 海外の大学は、一つの国から一定の人数しか入れません。1校10人として世界の100校の学部に行くことになる。彼らが帰ってきたら、非常に大きな力になりますよ。

佐藤　外務省に入ってイギリス陸軍のロシア語学校に通いましたが、当時、１週間の授業料が１８０ポンドで、住むところが１４０ポンド、計３２０ポンドかかりました。これは私の初任給８万７０００円とほぼ同額です。でもその１年間の勉強で一生食べていけるようになった。国としては外交官一人に１５００万〜３０００万円くらいかけて養成していますが、語学で使えるようになるのは２割くらい。情報適性がある人はもっと減る。でもその人が何十人分の仕事をします。遣唐使１０００人のうち、10人でも優れたリーダーが出れば、日本は相当に変わりますよ。（本書１１５〜１１６頁）

筆者は高校1年生（15歳）の夏休みにソ連（ロシア、ウクライナ、ウズベキスタン）、東欧（ポーランド、チェコスロヴァキア、ハンガリー、ルーマニア）を一人旅した。このときの経験が後の人生においてとても役だった。大学生や大学院生になって本格的な留学をすることも重要だが、異文化体験はもっと早く中学生か高校生のうちにしておくと、将来、海外で学んだり働いたりしたいという動機を生み出すことになる。

本書を上梓するにあたっては、新潮新書編集部の大古場春菜氏にたいへんにお世話になりました。また週刊新潮連載時には若杉良作氏、吉川裕嗣氏、水本佑史氏にもたいへんにお世話になりました。どうもありがとうございます。

2023年2月13日、入院中の某大学病院デイルームにて、

佐藤　優

週刊新潮「佐藤優の頂上対決」初出一覧

新井紀子　２０２１年４月８日号
藤井　聡　２０２０年10月８日号
三浦　展　２０２１年２月18日号
中谷　巌　２０２１年２月４日号
河合雅司　２０２０年９月17日号
柳沢幸雄　２０１９年12月19日号
岩村　充　２０２０年10月29日号
菊澤研宗　２０２０年12月31日・２１年１月７日号
君塚直隆　２０２１年９月16日号
八田進二　２０２０年９月24日号
戸松義晴　２０２１年１月28日号
清水　洋　２０２１年11月25日号
國頭英夫　２０２２年６月２日号
五木寛之　２０２２年１月27日号

（章扉の肩書きは連載当時のものを掲載しています）

章扉デザイン・クラップス
写真・新潮社写真部

佐藤　優　1960年生まれ。作家。
同志社大学大学院卒。85年外務省
入省。外務本省国際情報局分析第
一課などで勤務。2002年背任・偽
計業務妨害容疑で逮捕。主な著書
に『国家の罠』『自壊する帝国』。

Ⓢ新潮新書

994

国難《こくなん》のインテリジェンス

著　者　佐藤《さとう》　優《まさる》

2023年4月20日　発行

発行者　佐　藤　隆　信

発行所　株式会社 新潮社

〒162-8711　東京都新宿区矢来町71番地
編集部(03)3266-5430　読者係(03)3266-5111
https://www.shinchosha.co.jp
装幀　新潮社装幀室

印刷所　大日本印刷株式会社
製本所　加藤製本株式会社

ISBN978-4-10-610994-2　C0230

ⓢ新潮新書

820
ケーキの切れない非行少年たち
宮口幸治
認知力が弱く、「ケーキを等分に切る」ことすら出来ない――。人口の十数％いるとされる「境界知能」の人々に焦点を当て、彼らを学校・社会生活に導く超実践的なメソッドを公開する。

882
スマホ脳
アンデシュ・ハンセン
久山葉子訳
ジョブズはなぜ、わが子にｉＰａｄを与えなかったのか？　うつ、睡眠障害、学力低下、依存……最新の研究結果があぶり出す、恐るべき真実。世界的ベストセラーがついに日本上陸！

968
バカと無知
人間、この不都合な生きもの
橘　玲
50万部突破『言ってはいけない』著者の最新作。キャンセルカルチャーは快楽？「子供は純真」か？「きれいごと」だけでは生きられないことを科学的知見から解き明かす。

980
正義の味方が苦手です
古市憲寿
正しすぎる社会は息苦しい。戦争が起き、元総理が殺され、コロナは終わらない。揺らぐ社会をみつめ考えた、「正しさ」だけでは解決できない現実との向き合い方。

983
脳の闇
中野信子
承認欲求と無縁ではいられない現代。社会の構造的病理を誘うヒトの脳の厄介な闇を解き明かす。著者自身の半生を交えて、脳科学の知見を媒介にした衝撃の人間論！